LE PETIT LIVRE

philosophie
pour la
salle de bain

Sagesse des plus grands penseurs du monde pour tous les jours

GREGORY BERGMAN

Traduit de l'américain
par Renée Thivierge

Copyright © 2004 Gregory Bergman
Titre original anglais : The little book of bathroom philosophy
Copyright © 2007 Éditions AdA Inc. pour la traduction française
Cette publication est publiée en accord avec Fair Winds Press, Beverly, MA

Éditeur : François Doucet
Traduction : Renée Thivierge
Révision linguistique : Nicole Demers et André St-Hilaire
Révision : Nancy Coulombe, Suzanne Turcotte
Mise en page : Matthieu Fortin
Montage de la couverture : Matthieu Fortin
Illustration de la couverture : James Carson
ISBN 978-2-89565-579-4
Première impression : 2007
Dépôt légal : 2007
Bibliothèque et Archives nationales du Québec
Bibliothèque Nationale du Canada

Éditions AdA Inc.
1385, boul. Lionel-Boulet
Varennes, Québec, Canada, J3X 1P7
Téléphone : 450-929-0296
Télécopieur : 450-929-0220
www.ada-inc.com
info@ada-inc.com

Diffusion
Canada :   Éditions AdA Inc.
France :   D.G. Diffusion
                Z.I. des Bogues
                31750 Escalquens – France
                Téléphone : 05.61.00.09.99
Suisse :   Transat - 23.42.77.40
Belgique :   D.G. Diffusion - 05.61.00.09.99

Imprimé au Canada

Participation de la SODEC. SODEC
Nous reconnaissons l'aide financière du gouvernement du Canada par l'entremise du Programme d'aide au développement de l'industrie de l'édition (PADIÉ) pour nos activités d'édition.
Gouvernement du Québec - Programme de crédit d'impôt pour l'édition de livres - Gestion SODEC.

Catalogage avant publication de Bibliothèque et Archives nationales du Québec et Bibliothèque et Archives Canada

Bergman, Gregory, 1979-

    Le petit livre de la philosophie pour la salle de bain

    Traduction de: The little book of bathroom philosophy.

    ISBN 978-2-89565-579-4

    1. Philosophie. I. Titre.

B21.B4714 2007   100   C2007-941723-X

À ma mère, pour son aide, son amour,
et sa compréhension au-delà de toute mesure.

Table des matières

Introduction

Le quoi et le pourquoi de la philosophie

Qu'est-ce que la philosophie ? La philosophie n'est pas simplement une vision de la vie – malgré l'usage généralisé que l'on fait de ce mot de nos jours. Lorsqu'un ivrogne s'assoit à côté de vous dans un bar et qu'il vous dit : « Ma philosophie de la vie, c'est… » il ne s'agit pas de philosophie ! (À moins, bien sûr, que l'ivrogne soit un philosophe accompli et qu'il soit sorti pour prendre un verre avant d'aller dormir.) Non, la philosophie est une discipline précise.

Avant que l'on n'attribue le nom de « sciences » à la biologie et à la physique, que l'on nomme « psychologie » l'étude de l'esprit, « science politique », l'étude de la politique, toutes ces disciplines étaient étudiées par les philosophes et, en un sens, ont été inventées par ces derniers. La philosophie, au-delà de la pratique de ces disciplines, se veut une tentative de développer une vision globale de l'Univers dans ce qu'il a de plus fondamental. Elle cherche par la même occasion à acquérir une vision exhaustive des êtres humains, de leur nature essentielle, de leurs capacités potentielles et des limites de ces dernières.

Le désir de découvrir la nature des choses a permis le développement de la philosophie. Cette discipline recourt à une méthode particulière pour comprendre les mystères du monde. La méthode philosophique préconise l'utilisation de l'argument logique afin de déterminer la validité d'une affirmation concernant l'Univers.

Les philosophes ont éprouvé le désir de découvrir la nature des choses, et ont créé la philosophie comme méthode particulière pour comprendre les mystères de l'Univers. Ils ont ainsi obtenu un moyen de démontrer la validité de leurs propositions. La philosophie diffère de la religion en ce sens que ses affirmations sur l'Univers sont justifiées par la logique, tandis que la religion explique ses principes par des anecdotes et des contes.

Les plus grands romanciers, dont les idées et les analyses sur les êtres humains et le monde prennent vie sous nos yeux, nous éblouissent par la profondeur de leur pensée et l'originalité de leur vision ; ils ne sont toutefois pas des philosophes. Pourquoi pas ? Tout simplement parce qu'ils ne font pas de la philosophie, c'est-à-dire qu'ils ne donnent aucune explication ou preuve de leurs affirmations.

Voilà ce qu'est la philosophie, mais pourquoi devrions-nous nous y intéresser ? C'est sûrement la question de l'heure et probablement celle qui vous a poussé à lire cette introduction. La réponse est simple : « **La philosophie nous a enseigné à penser**. » Non seulement les philosophes nous disent **quoi** penser, mais aussi ils nous montrent **comment** penser. L'étude de l'histoire de la philosophie n'est pas simplement l'étude de l'histoire des idées, mais plutôt l'histoire de notre propre cognition, de **notre propre façon de penser**. La confiance que nous avons de nos jours devant les données empiriques et l'expérimentation, aussi bien que la foi en la fiabilité des arguments logiques avancés pour prouver la culpabilité ou l'innocence d'une personne, sont les fruits des semences philosophiques qui ont été plantées il y a des siècles et des siècles. Nos idées influent sur notre cognition, et l'étude du développement historique de ces idées – soit l'étude de la philosophie – nous entraîne dans la pensée d'un auteur ancien, dont les intuitions ont créé les idées auxquelles nous croyons, la méthode par laquelle nous les avons acquises, et même le son de notre voix intérieure la plus profonde.

Prenez la différence entre deux existentialistes importants du vingtième siècle, Sartre et Camus. Le fameux roman de Camus, *L'étranger*, explore l'angoisse existentialiste de la condition humaine en mettant en lumière la vie de son protagoniste, qui est un « étranger » à tous les égards : il est séparé de son pays et des gens. Il représente une profonde solitude de l'individu. Cependant, bien que des créations littéraires de ce type peuvent explorer ou exposer certaines théories philosophiques, elles ne sont pas en elles-mêmes un produit de la philosophie. D'un autre côté, Sartre a lui aussi écrit des pièces de théâtre et des romans, mais on le considère comme le philosophe le plus substantiel des deux auteurs, non seulement parce que ses théories existentialistes ont été exposées dans ses œuvres littéraires, mais aussi parce qu'il a précisé ses idées dans des traités philosophiques, où il cherche à prouver la justesse de ses croyances.

Tout au long de cette exploration, il deviendra évident que certains groupes de philosophes mettent l'accent sur des aspects différents de la pratique générale de la philosophie. Certains sont principalement des théoriciens de la morale ou de la politique, alors que d'autres consacrent leur génie à l'étude de l'épistémologie et de la métaphysique. Il deviendra aussi évident que la philosophie est une discipline qui aborde tous les sujets et, à mesure que les univers des faits, de la société et de la politique se modifient, le discours philosophique se transforme aussi. Par exemple, des philosophes du début de la période moderne (comme Hobbes et Descartes) ont cherché à incorporer et à comprendre les implications philosophiques des découvertes de Galilée et de Copernic, tandis que les philosophes contemporains cherchent à intégrer et à comprendre les implications philosophiques de toutes les études scientifiques pertinentes qui sont menées de nos jours (comme le clonage ou les voyages dans l'espace). Non seulement le philosophe veut intégrer la science dans sa philosophie, mais aussi il se préoccupe inévitablement des grandes questions et des problèmes de son époque. L'étude de l'histoire de la philosophie est d'autant plus intéressante que le philosophe, pour *réagir au monde contemporain, doit aussi réagir aux arguments philosophiques et aux affirmations du passé, autant qu'aux problèmes fondamentaux de la philosophie. Ce sont les mêmes questions qui, depuis l'époque de la Grèce antique, ont mis au défi et inspiré tous les philosophes, peu importe l'ère à laquelle ils ont vécu.*

Dans cet ouvrage, nous découvrirons l'histoire des idées par l'entremise de certains des grands philosophes des deux derniers millénaires. Chaque chapitre donnera une courte description de la vie du philosophe à l'étude et en exposera brièvement les idées les plus importantes. Pour le novice en philosophie, j'ai inclus une métaphore commune, à utiliser comme outil d'explication, dans chaque chapitre. Pour aider le lecteur à faire la différence entre les philosophes, cette métaphore récurrente sera celle de **Bessie la vache**. Il est à espérer que cette Bessie sera aussi utile qu'elle est anthropomorphe. Donc, que la fête commence !

Chapitre un

Thalès et les présocratiques

(640-469 av. J.-C.)

- Ils ont tenté de décrire la nature de l'Univers.
- Ils appuyaient leurs assertions par des raisonnements.
- Ils ont soulevé les questions fondamentales de la philosophie.

La longue tradition occidentale du questionnement philosophique a commencé, il y a bien longtemps, sur le territoire de la Grèce antique. De nombreux philosophes « présocratiques » soutenaient plusieurs positions philosophiques originales, mais ils avaient tous une chose en commun : la philosophie.

Thalès est le « père » de la philosophie (640-550 av. J.-C.). Non seulement il avait supposément prédit une éclipse – une contribution scientifique d'une grande portée à l'époque –, mais aussi il est célèbre pour avoir affirmé que l'eau était le principe fondamental de l'Univers. C'est dire que « tout » ce qui compose notre Univers est en fait un dérivé ou un produit de l'eau. C'est par cette affirmation que la philosophie et la science ont fait leurs débuts. D'autres, dans les temps anciens, avaient aussi fait des prédictions sur le cosmos et échafaudé de nombreuses théories au sujet de l'Univers mais, contrairement à Thalès, ils n'étaient pas des philosophes. En effet, Thalès voyait la nécessité de préciser deux aspects :

- N'attribuer ses conclusions sur l'Univers à rien d'autre qu'à l'Univers lui-même (par exemple, non aux dieux).
- Justifier ses points de vue en présentant une argumentation.

Ces principes, qui s'appliquent encore aujourd'hui, distinguent la philosophie des autres disciplines.

Problèmes et préoccupations des présocratiques

L'affirmation de Thalès apporte le premier problème philosophique, le **problème de la matière**, à savoir quels sont les principes fondamentaux de ce monde. Cette tentative de déterminer les « matières » et les principes de l'existence portera par la suite le nom de métaphysique. Thalès affirmait que le principe fondamental de la vie était l'eau, mais son successeur, Anaximène, prétendait que l'air était à l'origine de toute chose.

Les anciens philosophes se préoccupaient aussi de la partie **immuable** de l'être et du **changement** chez l'être. Plus précisément, on se posait la question « Comment l'immuable et le changement peuvent-ils coexister ? » Si la partie immuable persiste et que les êtres changent (qu'ils naissent et qu'ils meurent), comment l'être peut-il à la fois persister et ne pas persister ? (Ah, qu'ils sont farfelus, ces Grecs !)

Pendant les millénaires suivants, presque tous les philosophes reprendront cette question métaphysique.

Donc, que répondaient les philosophes « présocratiques » ?

L'école éléatique et « l'être pur »

La philosophie de l'école éléatique était basée sur un système conçu pour expliquer l'apparente contradiction entre le changement et l'être. Les philosophes de ce groupe partageaient la croyance qu'il existait un principe immuable et permanent qui gouvernait toutes choses. C'est le concept de « l'être pur », qui englobe tant le matériel que le spirituel. Parménide, un membre célèbre de l'école éléatique, a affirmé que l'**être** est à la fois espace infini et pensée. Il s'agit d'un principe unique qui est indivisible et qui se suffit à lui-même. Il existe donc une réalité ultime ou un principe ultime (être) qui sous-tend l'existence de chaque chose particulière et limitée.

Alors que Thalès était plutôt intéressé aux « principes » fondamentaux ou à « l'élément » fondamental dans l'univers physique, les membres de l'école éléatique cherchaient à trouver un principe ultime pour justifier à la fois la vie intellectuelle et la vie physique.

Héraclite et le changement universel

Contrairement à la vision éléatique qui affirme que la matière est « fixe » et immuable, nous pouvons dire qu'Héraclite est le « philosophe du flux universel ». Selon lui, tout est en mouvement et tout change continuellement. Les corps sont contraires ou opposés, et l'Univers est le processus continuel, mais ordonné, de leur mouvement. Pour Héraclite, **l'essence de l'être est en devenir**. Mais de quoi sont fabriqués ces corps matériels ? Héraclite soutient que le **feu** est « l'élément » fondamental qui se manifeste dans les corps qui subissent un changement.

De ces explications sur le **changement et l'être** provient l'idée qu'il peut y avoir des changements continuels dans les « choses matérielles » de l'Univers, alors qu'il peut exister une forme de permanence dans l'essence ou les propriétés de ces choses matérielles.

Le changement relatif des parties absolues

Certains philosophes « présocratiques », comme Empédocle, ont soutenu que l'Univers est composé des quatre éléments : le feu, la terre, l'air et l'eau, et qu'il est possible d'expliquer l'Univers par les mouvements de ces éléments. D'autres, comme Démocrite (et les atomistes), soutiennent qu'il existe des particules « d'éléments » fondamentaux, ou atomes, impossibles à observer, mais qui servent de composantes à tout ce qui existe. (On dirait les théories des scientifiques modernes. Et comment !)

Ainsi, la plupart des philosophes qui ont vécu avant Socrate se préoccupaient d'expliquer le monde naturel et de découvrir les principes fondamentaux qui l'animaient. Or, il y en avait d'autres. **Faisons entrer les sophistes !**

Les sophistes

Les sophistes ont été les premiers à transformer la philosophie en une activité concrète. Ils étaient moins préoccupés par des concepts comme l'**être**, et se souciaient plutôt de l'enseignement de l'art de l'argumentation pour se remplir les poches. Chaque homme possède ses propres perceptions des choses, et aucune autre personne ne peut vraiment décoder laquelle de ces perceptions est « vraie », disaient les sophistes. Il est impossible de découvrir des principes ultimes dans l'Univers, et tous les philosophes qui tentent d'en trouver perdent essentiellement leur temps. La connaissance dérive des sens, et ceux-ci ne révèlent pas la vérité, l'universalité, ou l'immuabilité de l'Univers. Les sophistes ont mis au point la doctrine prônant la réussite et la satisfaction matérielles et fait de celles-ci les objectifs de la vie humaine.

D'après les sophistes, nous ne pouvons jamais connaître le « vrai » ou le « bon », étant donné que « l'homme est la mesure de toutes choses ». Dans la tradition philosophique présocratique, les idées philosophiques différaient énormément. Cependant, c'est la confiance en l'argumentation logique qui a fait de la philosophie ce qu'elle est, et pas autre chose. La philosophie a commencé par expliquer les principes de l'Univers pour enfin nier la possibilité de toute connaissance réelle. Quelles étaient les options ?

Les sophistes étaient au sommet de leur popularité à l'époque de Socrate. Ce dernier accepte-t-il que la philosophie devienne un guide de réussite matérielle qu'on atteint au moyen de l'apprentissage d'arguments retors et persuasifs ? Vous l'avez deviné… Certainement pas !

Bessie la vache

Une fermière, propriétaire de Bessie la vache, vend le lait de l'animal. Le produit s'avère être toxique, et de nombreuses personnes meurent. La fermière continue cependant à vendre son lait. Agit-elle mal en se comportant ainsi ? D'après les sophistes, il n'existe pas de moralité absolue et, s'il y en a une, les êtres humains ne la connaissent pas. Billy dit que vendre le lait est mal, et Barry dit que c'est bien. En réalité, tout ce qui nous permet de juger, ce sont les opinions des hommes, et ces dernières diffèrent d'une personne à l'autre.

Thalès

L'eau est le principe de toute chose, toute chose en provient et toute chose y retourne.

Anaximène

De même que notre âme qui est d'air nous soutient, de même le souffle et l'air enveloppent la totalité du monde.

Empédocle

Dieu est un cercle dont le centre est partout et la circonférence nulle part.

Cela n'est pas légitime pour quelques-uns et illégitime pour d'autres, mais la loi s'étend partout pour tous, à travers l'air qui règne au loin et l'infinie lumière du ciel.

Démocrite

Mieux vaut blâmer ses propres fautes que celles d'autrui.

Faire le bien ne signifie pas simplement de ne pas faire le mal, mais plutôt de ne pas désirer faire le mal. Beaucoup connaissent beaucoup de choses, mais manquent de sagesse.

Vous pouvez différencier l'homme qui semble sincère de celui qui semble malhonnête, non par ses actes seuls, mais aussi par ses désirs.

Mon ennemi n'est pas l'homme qui me fait du tort, mais l'homme qui a l'intention de me faire du tort.

Les hommes ont fait une idole de la chance comme excuse pour leur propre irréflexion.

Maintenant, comme dans les temps anciens, les dieux donnent aux hommes toutes choses bonnes ; celles qui sont funestes, injurieuses et inutiles n'en font pas partie. Celles-ci, maintenant comme dans les temps anciens, ne sont pas des cadeaux des dieux : les hommes y trébuchent d'eux-mêmes en raison de leurs propres cécité et folie.

Faites fi de toute modération, et les plus grands plaisirs vous apporteront les plus grandes douleurs.

Je préférerais découvrir un seul fait scientifique, plutôt que de devenir roi de Perse.

Rien n'existe sauf les atomes et le vide ; tout le reste n'est qu'opinion.

Parménide

Il n'y a que deux manières de réfléchir : la première concerne ce qui est et qu'il n'est pas possible qu'il ne soit pas ; l'autre, ce qui n'est pas et qu'il est nécessaire qu'il ne soit pas, et je vous fais remarquer que dans cette voie il est impossible d'apprendre, car personne ne peut connaître ce qui n'est pas, et ne peut en affirmer l'existence.

Héraclite

Le feu est la monnaie de toutes choses et toutes choses sont la monnaie du feu, comme l'or pour les marchandises et les marchandises pour l'or.

La foudre gouverne tout.

La guerre est mère de toutes choses, reine de toutes choses, et elle fait apparaître les uns comme dieux, les autres comme hommes, et elle fait les uns libres et les autres esclaves.

C'est la maladie qui rend la santé agréable, le mal qui engendre le bien, la faim qui fait engendrer la satiété, et la fatigue le repos.

Pour ceux qui entrent dans les mêmes fleuves, autres et toujours autres sont les eaux qui s'écoulent.

La route qui monte et qui descend est une ; c'est la même.

Protagoras (sophiste)

L'homme est la mesure de toutes choses ; pour celles qui sont, de leur existence ; pour celles qui ne sont pas, de leur non-existence.

Faire de l'argument le plus faible l'argument le plus fort.

Il y a deux aspects à toute question.

Antiphone (sophiste)

Le temps est une pensée ou une mesure, non une réalité.

CHAPITRE DEUX

Socrate

(469-400 av. J.-C.)

- L'homme devient le sujet de la philosophie.
- Socrate a soutenu que le but de l'existence humaine est la connaissance.
- Il a perdu la vie en raison de ses croyances.

Socrate est le grand gourou de la philosophie – tous le reconnaissent comme la « source de la grande sagesse ». On le perçoit souvent comme un mystique, car il ne s'est jamais soucié de consigner par écrit sa fameuse morale et ses idées métaphysiques. Il préférait partager ses idées avec les gens du peuple. La seule mention de son nom évoque les images d'un homme chaleureux, courageux, et exceptionnellement intelligent, qui faisait la conversation avec ses compatriotes athéniens dans l'*agora* (la place du marché).

Tout ce que nous savons de Socrate est tiré des travaux de son plus important disciple, Platon, qui en a fidèlement recueilli les enseignements pour la postérité – sans mentionner tous les cours de philosophie 101.

Fils d'un sculpteur respecté, Socrate est né à Athènes. Cette respectabilité lui a permis de recevoir la meilleure éducation qu'Athènes pouvait offrir – ce qui signifie qu'il a appris tout ce qu'il y avait à apprendre à l'époque sur l'arithmétique, la géométrie, la poésie grecque classique et l'astronomie. De plus, il a servi comme *hoplite*, un fantassin de l'armée. Sa bravoure et son endurance lors du siège de Potidaea durant la bataille de Delirum ont fait l'objet d'éloges de la part de ses amis et de ses compatriotes. Or, ce n'est pas sa bravoure au combat, mais ses croyances et ses enseignements qui ont fini par lui coûter la vie.

Socrate parlait avec quiconque voulait l'écouter, peu importe l'âge de la personne ou sa situation sociale. Ses ennemis référaient à sa méthode d'enseignement en la qualifiant de « bavardage continuel ». Cependant, ce n'est pas ainsi que l'Histoire juge son discours ; ce dernier s'apparente plutôt à une forme de recherche philosophique que l'on nomme « la méthode socratique ».

Socrate lui-même appelait sa méthode *telenchus*, un mot qui sommairement traduit signifie « interrogatoire contradictoire ». Il ne prenait jamais position ; il insistait plutôt pour mettre à l'épreuve les affirmations et les croyances des autres. Ce type de raisonnement révélait la contradiction dans les arguments avancés, ce qui prouvait que la position défendue était erronée. La seule chose dont Socrate était certain, c'était de son ignorance.

« L'homme sage de l'agora », comme on le surnommait, croyait qu'il était de son devoir religieux de soulager les Athéniens de leurs fausses et indiscutables croyances, qu'ils le veuillent ou non. Quand Chaerephon a consulté le plus important représentant de la foi athénienne, l'oracle de Delphes, à propos de Socrate, il lui a demandé s'il existait des hommes plus intelligents que Socrate. La plus grande des prêtresses a répondu qu'il n'y en avait pas. Quand Socrate a entendu ce qui avait été dit à son sujet, il a été encouragé à poursuivre son style de vie philosophique, et ce, malgré ses détracteurs – une décision qui s'est avérée fatidique.

En l'an 400 avant notre ère, Socrate a été accusé de « corrompre la jeunesse d'Athènes » et de ne pas honorer les dieux de l'État. Il a été reconnu coupable. À Athènes, les auteurs de débats philosophiques étaient apparemment condamnés à mourir par la ciguë (poison). Socrate aurait eu la possibilité d'échapper à sa sentence, mais il a courageusement refusé de fuir. Comme Platon l'a expliqué, Socrate préférait mourir à Athènes que de vivre ailleurs.

Nous nous souvenons de Socrate non pour les réponses qu'il a données, mais plutôt pour les questions qu'il a posées. Insatisfait des solutions fournies par la religion, l'astronomie et les mathématiques, il encourageait ses compatriotes athéniens à questionner leurs dieux, leurs valeurs et eux-mêmes. Qu'est-ce que la justice ? Qu'est-ce que le beau ? Qu'est-ce que le bon ? C'est ce type de questions que Socrate nous incite à nous poser, des questions qui sont aussi pertinentes de nos jours qu'elles ne l'étaient à son époque. Grâce à lui, la recherche philosophique aborde maintenant les préoccupations, les valeurs et les rêves des humains. Il nous a offert un nouveau moyen de chercher la vérité et, ce faisant, il a fait de la philosophie une forme d'art véritable. Quel exploit pour un type qui prétendait ne rien connaître !

Je suis le plus sage des hommes parce que moi je sais une chose, c'est que je ne sais rien.

Prenez le temps qu'il faut pour vous lancer dans une amitié mais, une fois que vous y êtes engagé, soyez ferme et constant.

Seul l'extrêmement ignorant ou l'extrêmement intelligent peut résister au changement.

Le moyen le plus rapide et le plus sûr de vivre honorablement dans ce monde, c'est d'être vraiment ce que nous semblons être ; toutes les vertus humaines s'améliorent et se renforcent par la pratique et l'expérience.

La véritable connaissance, c'est de savoir que vous ne savez rien.

Une vie sans examen ne vaut pas la peine d'être vécue.

La vertu ne provient pas de la richesse, mais la richesse, et toutes les autres bonnes choses que possèdent les hommes, provient de la vertu.

Ne croyez pas que ceux qui louangent toutes vos paroles et tous vos gestes soient ceux qui vous sont fidèles ; voyez plutôt ceux qui aimablement réprouvent vos erreurs.

Les oisifs ne sont pas uniquement ceux qui ne font rien, mais aussi ceux qu'on pourrait mieux employer.

Certains trouvent le courage dans le plaisir, d'autres dans la douleur ; certains dans les désirs, d'autres dans la crainte ; et d'autres ont peur dans les mêmes conditions.

La vie de l'homme ressemble à une goutte de rosée sur une feuille.

Celui qui veut changer le monde doit d'abord se changer lui-même.

Je ne peux enseigner quoi que ce soit à quiconque ; je ne peux que faire réfléchir les gens.

Dans tous les cas, mariez-vous. Si vous tombez sur une bonne épouse, vous serez heureux ; et si vous tombez sur une mauvaise, vous deviendrez philosophe… ce qui est excellent pour l'homme.

On ne doit rien préférer à la justice.

La beauté est une tyrannie qui ne dure pas.

Soyez ce que vous voulez paraître.

Le plus riche est celui qui se contente de moins, car le contentement est la richesse de la nature.

Pour apprendre à vous connaître, pensez par vous-même.

Je crois qu'il est divin de ne pas avoir de désir.

Il faut manger pour vivre, non vivre pour manger.

Il existe un seul bien, la connaissance, et un seul mal, l'ignorance.

Je ne suis ni Athénien, ni Grec, mais un citoyen du monde.

L'envie est la plaie de l'âme.

Je ne fais rien d'autre que d'essayer de vous persuader, les jeunes comme les vieux, de ne pas penser à votre personne ou à vos possessions ; préoccupez-vous plutôt d'améliorer votre âme de la façon la plus sérieuse qui soit. Je vous dis qu'on n'acquiert pas la vertu avec de l'argent mais que, si l'on possède la vertu, l'argent viendra à nous, ainsi que tous les autres biens des hommes, publics ou privés. C'est mon enseignement et, si c'est cette doctrine qui corrompt la jeunesse, je suis un scélérat.

Chapitre trois

Platon

(427-347 av. J.-C.)

- La raison et l'âme sont immortelles.
- Le monde physique n'est pas la véritable réalité.
- Les idées (formes) sont immuables, éternelles, et elles existent dans un Univers séparé.

Socrate est à Platon ce que Dr Dre est à Eminem, c'est-à-dire un maître et un mentor. Eminem a appris de Dre, comme Platon a appris de Socrate ; dans les deux cas, le protégé a donné à la forme artistique une orientation tout à fait nouvelle. Tout comme son maître, Platon a posé des questions qui captivent encore les philosophes. Cependant, il s'est davantage préoccupé des « concepts » fondamentaux de l'Univers et des fondements de la connaissance humaine. Si Socrate a amené la philosophie dans les rues, Platon a replacé la philosophie dans les cieux.

Platon est né de riches parents athéniens. C'était un enfant doué, et c'est ainsi qu'il est devenu l'élève préféré et le plus grand champion de Socrate. À quarante ans, il a fondé la célèbre école, l'Académie. Il y a enseigné et écrit jusqu'à sa mort.

Il était d'accord avec la méthode socratique d'apprentissage et il a bâti sur celle-ci en développant une théorie complète de l'Univers. Non seulement ses dialogues nous révèlent la façon de penser de Socrate, mais aussi ils nous aident à découvrir des vérités plus abstraites.

La première grande idée de Platon : la forme

La grande idée de Platon **est** en fait l'idée elle-même ou, comme il la nomme, la « forme ». D'après lui, ce qui compose la vraie réalité de l'Univers est la « forme » ou « l'essence » des objets, non la manifestation particulière qui se trouve devant nos yeux. Le monde physique et les objets autour de nous ne sont que de simples copies de ces formes – la forme est « ce qui fait que cette chose particulière est ce qu'elle est, et non autre chose ». En d'autres mots, elle constitue l'essence même de la chose. Les formes sont les seules substances « réelles » et durables. Ces substances existent dans un monde où la perception humaine n'a pas accès. Ce que nous percevons par nos sens n'est qu'une copie de la forme réelle. C'est en exerçant notre raison que nous saisissons la forme elle-même.

En d'autres mots, Bessie la vache n'est pas réelle – c'est sa forme universelle en tant que vache qui est réelle. Ce n'est que lorsque nous nous servons de notre raison pour déduire la forme du « concept de vache » que nous finissons par prendre conscience de la vraie réalité. Ce principe s'applique aussi aux notions morales. Je sais que cela semble bizarre, mais Platon n'était pas tout à fait un crétin ; il vaut donc la peine d'écouter son argumentation. Un acte particulier est *bon* parce qu'il existe quelque chose dans l'acte lui-même qui le rend bon. Cette « chose » est l'idée universelle de la « bonté ». Les notions morales ne sont pas jugées bonnes simplement parce qu'elles produisent des résultats souhaitables, mais parce qu'elles se conforment à l'idée universelle de « bonté ».

La seconde grande idée de Platon : l'homme rationnel

La théorie des formes est des plus importantes pour comprendre l'homme rationnel de Platon. Étant donné que ce que nous percevons n'est pas réel, nous ne pouvons nous fier à nos sens et nous devons faire confiance à notre raison.

Platon prétend que nous n'acquérons la connaissance que par l'exercice de la raison. Par la raison, nous pouvons saisir l'éternel et l'immuable, alors que nos sens nous rendront confus dans un monde de copies ou d'imitations imparfaites. Tout comme les formes sont immuables et éternelles, notre raison est éternelle. Et tout comme le cosmos est ordonné (basé sur cet univers des formes), ainsi l'est l'âme humaine. Comme humain, nous ne devrions pas tenir compte de nos sens et de nos désirs ; nous devrions laisser la fonction supérieure de l'âme (la raison) mener le bal. Faites ceci et vous deviendrez l'homme rationnel de Platon.

L'homme rationnel est éternel – comme les formes éternelles sont immortelles, ainsi est l'homme rationnel. La nature des « formes » étant éternelle, la partie rationnelle de l'âme humaine a un statut éternel ou immortel. Les âmes humaines transmigrent dans un cycle éternel de vie et de mort. Par exemple, après que Platon fut mort, la partie rationnelle de son âme est apparue chez Aristote. Chaque expérience d'apprentissage de l'être humain est essentiellement une redécouverte des vérités éternelles.

Platon ne s'arrête pas là. Il se sert de sa passion pour la raison et la forme, et l'applique à sa philosophie politique. Dans *La République*, Platon affirme que puisque toute bonne vie est réglée par la raison, l'État devrait être dirigé par l'homme rationnel. Qui sont ces hommes rationnels ? Vous l'avez deviné, ce sont les philosophes, d'où l'expression « roi philosophe ». Platon soutient que les philosophes sont moins préoccupés par leurs désirs personnels ; ils peuvent donc saisir l'universalité de l'ensemble de la société et ses besoins, et faire ainsi les meilleurs rois.

Jetez un regard autour de vous. Maintenant, dites-moi, n'avons-nous pas besoin d'un roi philosophe ?

La philosophie est la musique suprême.

La mort n'est pas la pire chose qui puisse arriver aux hommes.

Aucune chose humaine n'a de véritable importance.

Si nous nous attendons à ce que les femmes accomplissent le même travail que les hommes, nous devons leur apprendre les mêmes choses.

L'ignorance, c'est la racine et la tige de tout mal.

Touché par l'amour, tout homme devient poète.

Ne découragez jamais quelqu'un... qui progresse continuellement, indépendamment du temps qu'il lui faut.

Le prix que les hommes bons paient pour leur indifférence aux affaires publiques, c'est d'être dirigés par des hommes malveillants.

Il n'y a rien de tel que le serment d'un amant.

Le sage parle parce qu'il a quelque chose à dire, le fou parce qu'il a à dire quelque chose.

On peut en savoir plus sur quelqu'un en une heure de jeu qu'en une année de conversation.

Rien de mal ne peut survenir à un homme bon, que ce soit pendant la vie ou après la mort.

Vous ne pouvez accepter le pluriel sans tenir compte du singulier.

Les fausses paroles ne sont pas simplement mauvaises en elles-mêmes, mais elles infectent l'âme avec le mal.

La plus grande punition pour celui qui fait le mal : ressembler de plus en plus à un homme mauvais.

Vous êtes jeune, mon fils, et, comme les années passent, le temps changera et même renversera beaucoup de vos opinions présentes. Évitez donc, pour le moment, de vous poser en juge de causes de grande importance.

L'exercice physique, quand il est obligatoire, ne nuit pas au corps ; par contre, la connaissance acquise sous la contrainte n'a aucune prise sur l'esprit.

Tout ce qui est dit pour décevoir peut être utilisé pour enchanter.

Celui qui est de nature calme et heureuse ne ressentira pas vraiment la pression de l'âge, mais pour celui qui est de disposition contraire, la jeunesse et l'âge sont d'équivalents fardeaux.

Le début est la partie la plus importante d'un travail.

La direction que prendra l'éducation d'un homme au départ déterminera sa vie future.

Les gens ont toujours quelque champion qu'ils élèvent au-dessus d'eux et auquel ils attribuent un pouvoir extraordinaire… Ceci, et nulle autre chose, constitue la racine d'où émerge un tyran ; quand il apparaît pour la première fois, il est un protecteur.

L'âme d'un homme est immortelle et impérissable.

La richesse est la mère de la luxure et de l'indolence ; la pauvreté, celle de l'avarice et de la méchanceté ; et les deux sont sources de mécontentement.

Le chien a l'âme d'un philosophe.

CHAPITRE QUATRE

Aristote

(384-322 av. J.-C.)

- Il est le fondateur de la logique scientifique, de la biologie et de la critique littéraire classique.
- Il a affirmé la conception téléologique de la nature.
- Il s'est tourné vers des objets particuliers

Si quelqu'un criait « L'ancien philosophe grec, celui qui est svelte et délicat, peut-il se lever ? » il n'y a aucun doute qu'Aristote se mettrait debout. Aristote n'est pas uniquement une figure incontournable dans l'évolution de la pensée occidentale ; c'est lui qui, pendant des millénaires, a défini cette pensée. La civilisation occidentale est elle-même « aristotélicienne », du moins jusqu'à l'avènement du dix-septième siècle.

Aristote est né à Stagire (aujourd'hui Stavros), une colonie grecque sur la côte de Thrace, quatorze ans après la mort de Socrate. Son père était médecin à la cour du roi de Macédoine. Le père d'Aristote est mort alors que ce dernier n'était encore qu'un jeune garçon. Aristote a toutefois maintenu une longue et importante relation avec la cour de Macédoine. À dix-sept ans, il a été envoyé à Athènes pour y faire des études, et y a reçu une assez bonne éducation. Après tout, Platon était son maître ! Dans sa fameuse école, l'Académie, il a donné des cours à Aristote pendant une vingtaine d'années. Durant ses dernières années à l'Académie, Aristote a commencé à donner ses propres cours, principalement sur le sujet de la rhétorique.

Aristote n'avait pas que Platon comme ami célèbre. Grâce à son association avec la cour de Macédoine, il est devenu le tuteur d'un prince de treize ans, nommé Alexandre. Oui, Alexandre le Grand ! Lorsque Platon est mort, même si Aristote était certainement qualifié pour lui succéder à la tête de l'Académie, il y a renoncé. Sa divergence avec la pensée platonicienne était devenue trop importante.

Après la mort soudaine d'Alexandre, et la chute subséquente du gouvernement promacédonien, en 323 avant notre ère, Aristote a dû s'enfuir puisque la nouvelle élite l'accusait d'impiété. Faisant référence à la mort de Socrate, il a expliqué à ses compatriotes athéniens qu'il quittait Athènes pour « ne pas permettre aux dirigeants de pécher une seconde fois contre la philosophie. » Il est décédé environ un an plus tard à Chalcis.

La première grande idée d'Aristote : la matière et la forme

Pour Aristote, la matière et la forme sont deux choses « réelles ». Par exemple, on ne peut considérer Bessie la vache comme une simple copie de la forme universelle platonique du « concept de vache » (c'est-à-dire ce que c'est que d'être une vache). La matière en tant que telle (Bessie la vache) est comprise comme une *potentialité*, alors que la forme est comprise comme une *actualité*. Donc, alors qu'il est possible de séparer en pensée la forme universelle du « concept de vache » de la vache particulière qu'est Bessie, on ne peut la séparer du point de vue ontologique (réalité). En d'autres mots, la forme du « concept de vache » n'existe pas dans d'autres « univers des formes », mais elle existe en Bessie elle-même.

La deuxième grande idée d'Aristote : les quatre causes

Alors qu'il étudiait la nature, Aristote s'est intéressé aux « causes » de chaque chose vivante. Il a identifié « quatre causes » à l'œuvre dans le monde naturel : les causes matérielle, efficiente, formelle et finale. Une vache en peluche aurait comme cause matérielle le coton et le tissu ; la cause formelle serait son plan ou sa forme d'origine ; sa forme efficiente serait le travailleur qui l'a fabriquée ; et la cause finale serait le petit enfant de la campagne qui jouerait avec elle.

Or, Aristote prétend que ce processus est en fait responsable du développement d'une véritable vache, comme notre Bessie, la cause matérielle étant la substance dont la vache est composée, la cause formelle étant son plan génétique, la cause efficiente étant les détails du processus biologique, et la cause finale étant la finalité de son développement en une vache adulte. De ce point de vue, l'objectif d'un veau est de devenir une vache. La régularité par laquelle les choses se développent dans la nature a amené Aristote à croire « qu'il n'y a rien d'arbitraire dans la nature ». La nature agit en vue d'un objectif ou pour satisfaire un but. Si la matière est indéterminée, comme le prétend Aristote, quelque chose doit se produire pour l'inciter à créer une forme reconnaissable. Étant donné que tout ça se passe avec une telle régularité et une telle prévisibilité, il est suggéré que le développement de chaque organisme (comme pour les artefacts humains) est mû par un objectif inhérent ou un but ultime. Ce concept est appelé « téléologie aristotélicienne ».

Cette idée de caractère intentionnel s'applique aussi à l'homme. Le but de chaque homme est d'atteindre le bonheur. Si quelqu'un se fait courtier pour gagner de l'argent, c'est qu'il croit que l'argent finira par le rendre heureux. Sinon, à quoi cela lui servirait-il de choisir ce métier ? Selon Aristote, seule la vertu (l'action convenable dictée par la raison) rend l'homme vraiment heureux. L'atteinte du bonheur par l'exercice de la raison « est le plus grand bien ».

La troisième grande idée d'Aristote : le syllogisme

L'invention du syllogisme logique est l'outil que nous a fourni Aristote pour pratiquer notre raison et découvrir la vérité. Voici un exemple de syllogisme :

> Tous les hommes sont mortels.
> Socrate est un homme.
> Donc, Socrate est mortel.

La conception d'Aristote des causes en œuvre dans la nature est demeurée pratiquement incontestée en Occident pendant plus de mille ans. De plus, sa logique scientifique et ses études biologiques ont posé les bases de ces deux disciplines en plein essor. D'ailleurs, il a été le roi des grandes idées – par exemple, ses affirmations sur l'aspect cathartique de la tragédie sont acceptées et fournissent les paramètres des critiques littéraires et des universitaires jusqu'à ce jour. Plus qu'une simple contribution au domaine des idées, la philosophie d'Aristote s'est intégrée dans notre compréhension de la culture intellectuelle occidentale. Cependant, ne soyez pas jaloux, car vos enseignants n'étaient pas à moitié aussi bons que les siens.

Platon m'est cher, mais la vérité m'est plus chère encore.

L'homme est par nature un animal politique.

Tous les emplois rémunérés absorbent et dégradent l'esprit.

L'éducation est la meilleure provision pour le voyage vers le vieil âge.

Le bonheur dépend de nous.

L'ordre de la société repose sur la justice.

C'est la marque d'un esprit cultivé qu'être capable de nourrir une pensée sans la cautionner pour autant.

Le plaisir achève l'acte.

La pauvreté est la mère de la révolution et du crime.

Le seul État stable est celui dans lequel tous les hommes sont égaux devant la loi.

Être un homme juste et être un bon citoyen peuvent s'avérer des choses bien différentes.

C'est dans l'infortune que l'on connaît ses véritables amis.

L'espoir est un rêve éveillé.

Par nature, tous les hommes souhaitent la connaissance.

On peut échouer de multiples façons… mais on ne peut réussir que d'une façon.

Une hirondelle ne fait pas le printemps.

Nous faisons la guerre parce que nous voulons vivre en paix.

Dans toutes les choses de la nature, il est quelque chose de merveilleux.

C'est la nature du désir que d'être insatisfait, et la plupart des hommes ne vivent que pour l'assouvissement du désir.

La loi est l'ordre, et la bonne loi est le bon ordre.

La nature ne fait rien en vain.

La base d'un État démocratique est la liberté.

Ne devraient régner que ceux qui gouvernent le mieux.

Le mal rassemble les hommes.

C'est la simplicité qui permet à l'homme sans instruction d'être plus efficace que l'homme instruit quand il s'adresse à un auditoire populaire.

CHAPITRE CINQ

Saint Augustin

(354-430 apr. J.-C.)

- Il a revendiqué la première « philosophie de l'Histoire ».
- Il a défendu la priorité de la foi sur la raison.
- Il a inventé l'autobiographie introspective.

Les écrits de saint Augustin sont à la fois personnels, spirituels et profondément philosophiques. Si on considère le fait que cet auteur a vécu et écrit à l'époque de la chute du grand Empire romain, on ne sera pas surpris de constater que son œuvre philosophique est centralisée, non pas sur la relation des citoyens individuels avec l'État politique, mais plutôt sur la relation des êtres humains avec Dieu.

Né dans une famille de classe moyenne dans l'Algérie des Temps modernes, saint Augustin a reçu une éducation spirituelle qui reflète le multiculturalisme et la diversité que l'on retrouve à l'époque dans l'Empire romain. Son père, un petit fermier et modeste notable de la ville, était païen, alors que sa mère était chrétienne. Dès son plus jeune âge, Augustin était très proche de sa mère, et il a fini par adopter la religion de cette dernière. Cependant, à dix-sept ans, il a étudié la rhétorique à Carthage et a très vite rejeté le christianisme pour embrasser la philosophie des Grecs ainsi qu'une variété de religions païennes, incluant le manichéisme (une philosophie dualiste religieuse enseignée par le prophète perse Manès). Au cours des années suivantes, saint Augustin a fait preuve d'extravagance et mené une vie sexuelle débridée, une vie qu'il a décrite en détail dans sa fameuse œuvre autobiographique *Les Confessions*.

En fin de compte, saint Augustin a commencé à s'ennuyer. Avide de trouver un sens à son existence, il s'est alors détourné de cette vie, qu'il appelait lui-même « une vie de péché ». Plus tard, en l'année 387 de notre ère, il a été baptisé dans le christianisme. Il a ensuite été ordonné dans la communauté chrétienne, à Hippo, où il a occupé les fonctions d'archevêque jusqu'à sa mort.

À l'instar d'Aristote, qui avait profondément influencé le philosophe chrétien Aquin, Platon a exercé une forte influence sur saint Augustin. Ce dernier a accepté la conception platonicienne de l'Univers, dans laquelle le monde de l'expérience, du temps et de l'espace est moins « réel » que le « monde des idées ou des formes ». Cependant, ici, la réalité éternelle des formes n'existe pas dans un « univers de formes » platoniciennes ; les formes sont plutôt contenues dans « l'esprit de Dieu ». Saint Augustin considérait que le « royaume de Dieu » remplace le « royaume des formes » de Platon. De plus, il était d'accord avec la conception platonicienne qu'il n'existe pas de mal à l'état « pur » dans l'Univers. Il n'y a que du bien « pur » – étant donné que Dieu est tout-puissant et infiniment bon. Le mal n'est que l'absence de bien, comme l'obscurité est l'absence de lumière. Les mauvaises actions ne sont que des actions où il y a absence de bonté.

La grande idée de saint Augustin : la foi gouverne la raison

Saint Augustin a spiritualisé la raison. Dieu est le créateur de la raison ; Il nous en fait don pour que nous puissions mieux nous comprendre et mieux Le comprendre. La connaissance du soi et de Dieu devient l'exercice le plus important de la raison, surpassant les préoccupations de Platon par rapport à l'organisation sociale des hommes.

D'après saint Augustin, Dieu nous a donné le libre arbitre, et le libre arbitre est nécessaire dans la prise de décisions morales. Dieu est un être omniscient qui connaît chacune des décisions que nous prendrons tout au long de notre vie. Donc, lorsque nous prenons des décisions, surtout des décisions morales, nous ne pouvons faire appel uniquement à la raison, sans se référer à Dieu. Tout comme le mal est l'absence de bien, ainsi sont les décisions immorales, celles qui sont prises en l'absence de Dieu. Le refus de permettre à la grâce de Dieu de guider notre comportement conduit à l'immoralité.

Dans la plus célèbre de ses œuvres, *La cité de Dieu*, saint Augustin décrit l'Histoire comme le processus linéaire significatif de la création à la perfection et au jugement final. Comme être humain, nous devrions créer la « cité de Dieu », non la « cité de l'Homme. »

Saint Augustin a su rapprocher la pensée chrétienne et la philosophie grecque. On dit souvent qu'il a « baptisé » Platon. Il a « spiritualisé » la philosophie, en ce sens qu'il attribue toute connaissance humaine, l'Histoire de l'humanité et l'Univers lui-même, à un Dieu chrétien tout-puissant et aimant. Donc, la prochaine fois que les religieuses vous surprendront en train de lire les écrits de Platon, demandez-leur tout simplement de se souvenir de saint Augustin.

Bessie tombe en disgrâce

Quand une personne décide que renverser des vaches endormies (une forme de passe-temps fréquente dans les régions qui n'ont pas de salle de spectacle convenable) est un acte parfaitement légitime, elle ne se sert pas de sa raison et ne vit pas dans la grâce de Dieu. À ce moment, elle pense à elle-même, au lieu de penser à Dieu.

Si vous ne croyez pas, vous ne comprendrez pas.

Mieux vaut souffrir d'avoir aimé que de souffrir de n'avoir jamais aimé.

Et les hommes vont admirer les cimes des monts, les vagues de la mer, le vaste cours des fleuves, le circuit de l'océan et le mouvement des astres, et ils s'oublient eux-mêmes.

La patience est la compagne de la sagesse.

La foi est l'acte de croire ce que vous ne voyez pas ; la récompense de cette foi, c'est de voir ce que vous croyez.

Une chose n'est pas nécessairement vraie parce qu'elle a été mal présentée, ou fausse parce qu'on en a magnifiquement parlé.

L'appréhension intellectuelle des choses éternelles appartient à la sagesse ; l'appréhension rationnelle des choses temporelles appartient à la connaissance.

Dieu ne souffrira pas que l'homme connaisse l'avenir parce que si l'homme connaissait d'avance sa prospérité, il serait insouciant ; et s'il comprenait son adversité, il serait insensé.

Nous nous fabriquons une échelle hors de nos vices si nous piétinons ceux-ci.

Les miracles ne sont pas en contradiction avec les lois de la nature, mais avec ce que nous savons de ces lois.

La conscience et la réputation sont deux choses : la conscience est pour toi, la réputation pour ton prochain.

Écoutez l'autre version des choses.

Ô Dieu ! Accordez-moi la chasteté, mais pas encore maintenant.

L'argument est terminé.

J'étais amoureux de l'amour.

Mettez de l'ordre dans votre âme ; réduisez vos désirs ; vivez dans la charité ; associez-vous à la communauté chrétienne ; obéissez aux lois ; faites confiance à la Providence.

Priez comme si tout dépendait de Dieu et travaillez comme si tout dépendait de vous.

Quand l'amour grandit en vous, la beauté s'épanouit. Car l'amour est la beauté de l'âme.

Ceux qui étaient victorieux ressemblaient moins à des conquérants qu'à des conquis.

CHAPITRE SIX

Thomas d'Aquin

(1225-1274)

- Il a fusionné la théologie et la philosophie chrétienne.
- Il a fourni des preuves rationnelles de l'existence de Dieu.
- Il a séparé la foi de la raison.

Aquin est l'« homme » de la philosophie médiévale. Durant le haut Moyen Âge, les travaux d'Aristote et des Grecs ont été redécouverts en Occident ; cependant, ils ne cadraient pas très bien avec les dogmes de l'Église de l'époque. Avant l'arrivée d'Aquin, la tradition de la philosophie chrétienne médiévale avait influencé la tradition augustinienne néo-platonicienne mais, comme Platon avait inspiré Augustin, Aristote a inspiré Aquin. Ce dernier a cherché à synthétiser la pensée d'Aristote et celle de la chrétienté. On se réfère souvent à cette synthèse comme à la tradition aristotélicienne scolastique. En un certain sens, tout comme Augustin a « spiritualisé » Platon, Aquin a cherché à rationaliser la croyance religieuse. Il a tenté de prouver la validité de cette croyance par le pouvoir de l'argument philosophique rationnel.

Né dans une famille noble de Roccasecca, en Italie, Aquin est entré dans l'ordre des Dominicains alors qu'il étudiait la philosophie à Naples. Or, les membres de sa famille n'étaient pas trop entichés de ses activités philosophiques, et ses frères se sont emparés de lui et l'ont gardé captif dans la maison familiale pendant un an. Cependant, Aquin a refusé de renoncer à sa vocation, et sa famille l'a finalement laissé partir. L'ordre des Dominicains l'a envoyé à Paris et à Cologne, où il a reçu les enseignements d'Aristote. Il a passé le reste de sa vie comme enseignant et intellectuel ; sa réputation lui a valu le titre de « docteur angélique ».

La grande idée d'Aquin : la raison par opposition à la foi

D'après Aquin, il existe deux types de connaissance. L'une est la connaissance du spirituel que nous apprenons par notre foi en Dieu ; l'autre est la connaissance acquise par l'entremise de la raison.

Aquin distingue la raison de la foi ; pourtant, il se sert de la raison pour prouver le concept de la foi. Il donne plusieurs « preuves » rationnelles de l'existence divine. Son point de départ est la notion aristotélicienne de la nécessité d'un « moteur immobile ». Puisque le monde est en mouvement, quelque chose doit d'abord avoir causé ce mouvement. La première cause est Dieu. Par exemple, s'il existe une vache nommée Bessie, quelque chose doit l'avoir « causée ». Si vous retrouvez la trace de toutes les Bessie qui ont été créées depuis des milliers d'années, vous conclurez finalement qu'il existait une première cause de l'Univers. Pour qu'il y ait du mouvement, quelque chose doit avoir actionné ce mouvement.

Aquin prétend que Dieu n'est pas simplement une « cause première » de mouvement, mais aussi une morale chrétienne. Puisque les êtres humains poursuivent des idéaux moraux, il doit y avoir certains critères d'idéaux moraux dans l'Univers. Ces critères ne sont pas les « formes dans le ciel » de Platon, mais Dieu.

Alors que la foi et la raison fournissent différents moyens de trouver la vérité, Aquin nous dit que la révélation est le plus important de ces moyens. Née de la nature mystérieuse de l'esprit, la foi nous fait connaître la révélation. Pour mener une bonne vie, il convient de ne nous préoccuper que de l'esprit. Cependant, Aquin invite ceux d'entre nous qui sont dotés d'une extraordinaire aptitude pour la raison (comme lui-même) à utiliser ce don pour comprendre le monde dont Dieu nous a fait cadeau. Alors que la raison est une source de connaissances différente de la révélation, les deux reposent sur une vérité suprême et absolue, qui est Dieu.

Aquin marche toujours sur la corde raide entre l'acceptation et le rejet des figures et des institutions religieuses de son époque. Or, ses efforts pour fusionner la philosophie aristotélicienne et la pensée chrétienne ont fini par porter leurs fruits. Aquin a été canonisé en tant que saint catholique par le pape Jean XXII en 1323 et, au dix-neuvième siècle, sa philosophie a été acceptée comme la philosophie officielle de l'Église catholique par le pape Léon XIII.

Chaque fois que le nom d'Aquin ressort et que vous voulez pouvoir parler intelligemment de la philosophie de cet auteur, rappelez-vous simplement ceci : Dieu est vraiment important pour lui.

Le bien peut exister sans le mal, alors que le mal ne peut exister sans le bien.

Je crains l'homme d'un seul livre.

La perfection de la vertu morale ne supprime pas complètement les passions, mais elle les règle.

Trois choses sont nécessaires à l'homme pour marcher dans la voie du salut : la science de la foi, la science des désirs et la science des œuvres.

L'amour survient là où se termine la connaissance.

Sur cette terre, rien ne vaut un véritable ami.

Par suite de la diversité des natures individuelles, il se trouve que certains actes sont vertueux chez certaines personnes, parce qu'ils sont appropriés et convenables pour elles, tandis que les mêmes actes sont immoraux chez d'autres personnes, parce qu'ils sont inappropriés pour elles.

La plus grande manifestation de la vie consiste en ceci : un être gouverne ses propres actions.

Une chose qui est toujours sujette à la direction d'une autre est en quelque sorte chose morte.

Pour qu'une guerre soit juste, trois conditions doivent être remplies : d'abord l'autorité du prince… deuxièmement, une cause juste… troisièmement, une intention droite.

Ceux qui sont le mieux adaptés à la vie active peuvent se préparer à la contemplation dans la pratique de la vie active, alors que ceux qui sont mieux adaptés à la vie contemplative peuvent se charger des exercices de la vie active pour devenir encore plus aptes à la contemplation.

L'amitié est la source des plus grands plaisirs, et sans amis même les activités les plus agréables deviennent ennuyeuses.

Il est évident que la personne qui accepte l'Église comme un guide infaillible en adoptera les enseignements sans se questionner.

Le salut exige que Dieu révèle aux hommes des vérités qui dépassent la raison.

Puisqu'on leur permet de voir la punition des damnés en enfer, les saints peuvent apprécier leur béatitude et la grâce de Dieu plus abondamment.

Si les faussaires et les malfaiteurs sont mis à mort par le pouvoir séculier, il y a encore plus de raisons pour excommunier et même mettre à mort celui qu'on accuse d'hérésie.

En ce qui concerne la nature individuelle, la femme est défectueuse et illégitime parce que la force active dans la semence masculine tend à la production d'une similarité parfaite dans le sexe masculin, tandis que la production de la femme provient d'une défectuosité de la force active.

L'homme possède un libre choix qui est à la mesure de sa rationalité.

Chapitre sept

René Descartes

(1596-1650)

- Il est le père de la philosophie moderne.
- Il a soutenu la vision mécaniste de la Nature.
- Il a soutenu que l'esprit et le corps étaient des substances distinctes.

Descartes est incontestablement le « père » de la philosophie moderne. Grâce à ses brillantes recherches sur les fondements et les méthodes de la philosophie, un nouvel intellectualisme pour une nouvelle Europe a vu le jour.

Descartes était le fils d'une famille noble de La Haye, en Touraine, une province de France. Formé dans la grande tradition des jésuites à La Flèche et Poitiers, il était doué pour les mathématiques ; en particulier, sa contribution à la géométrie est aussi largement estimée de nos jours qu'elle ne l'était à l'époque. Poussé à découvrir par lui-même la vie et la vérité, il a délaissé ses études pour faire de nombreux voyages. Pendant un court laps de temps, il a même servi dans l'armée aux côtés du prince Maurice de Hollande.

Même si Descartes nous raconte avoir rencontré plusieurs personnes intéressantes et s'être engagé dans de nombreuses aventures durant cette période de sa vie, il n'a jamais cessé de réfléchir aux questions éternelles de la philosophie – et il a fini par habiter en Hollande. Il y a vécu dans la solitude, déménageant souvent pour conserver son intimité. C'est dans ce pays qu'il a développé sa philosophie – un cadeau plus important et plus mémorable que sa contribution à la science et à la géométrie.

Galilée et Copernic avaient contesté les concepts classiques, tant aristotéliciens que chrétiens, au sujet de l'Univers. Leurs découvertes avaient révolutionné notre mode de compréhension de l'Univers. Avec la naissance de la science moderne, le monde était représenté comme des parcelles de matière qui n'avaient rien de mystérieuses et qui réalisaient des opérations physiques prévisibles. Quels seraient donc les principes de base d'une véritable compréhension de la réalité ? Nombreux furent les penseurs de l'époque à affirmer que de tels principes n'existaient pas, et que ni la perception ni la raison ne suffisaient pour acquérir une connaissance absolue. Ce n'est pas ce que pensait le bon vieux Descartes.

Descartes ne pose pas d'hypothèse en ce qui concerne l'Univers. Il admet que quelque chose est « réel » seulement lorsqu'il peut clairement et distinctement comprendre qu'il en est ainsi. Il remet en question les réalités de la raison et du corps, c'est-à-dire la raison et la Nature. Cette notion est souvent appelée « doute hyperbolique ».

La première grande idée de Descartes : « Je pense, donc je suis. »

Descartes prouve la réalité de l'esprit, d'abord en établissant que tout ce doute doit avoir une cause, comme l'affirme sa fameuse maxime : « Je pense, donc je suis. » Il soutient aussi : « Je suis une chose pensante. » Penser constitue notre essence et, par conséquent, notre esprit (raison) est distinct de notre corps (nature). Ce concept est appelé le « dualisme cartésien ».

La deuxième grande idée de Descartes : Dieu est la base de la réalité du monde extérieur

Descartes fournit des preuves non seulement de sa propre existence comme « chose pensante », mais aussi de l'existence de Dieu et du monde qui l'entoure ; la plus importante de ces preuves est celle de l'existence de Dieu. Pour prouver cette dernière, Descartes affirme que comme « chose pensante », il a des idées. Une de ses idées est celle d'un Dieu parfaitement bon et absolument puissant. Descartes soutient que rien, sauf Dieu, ne peut lui donner cette idée. En affirmant que Dieu est suprêmement bon, on dit aussi qu'Il ne peut nous décevoir. Dieu ne pourrait donc pas me décevoir. Il s'ensuit que ma croyance en un monde extérieur, fondée sur mes appréhensions « claires et distinctes » des formes géométriques ou d'une « extension pure », ne saurait être fausse, car cela signifierait que Dieu est un imposteur.

Même si Descartes admettait la revendication, inspirée du scepticisme, qui voulait que nos sens ne perçoivent pas le monde tel qu'il existe vraiment, il disait que la connaissance humaine d'une « extension pure » est possible. Ce prolongement du monde extérieur est absolument distinct du monde de l'esprit. Alors que des attributs comme les couleurs et les odeurs n'existent que dans l'esprit de celui qui les perçoit, il est possible de délimiter mathématiquement certains phénomènes qui se passent hors de l'esprit.

La troisième grande idée de Descartes : la matière en mouvement

En se fondant sur les découvertes scientifiques de son époque, Descartes a nié le concept aristotélicien de la cause finale et de la téléologie dans la nature. Les choses naturelles naissent et meurent simplement par cause efficiente. On ne considère plus la nature comme possédant un objectif inhérent et il est possible de la comprendre simplement comme de la « matière en mouvement ».

Descartes a prouvé que, malgré l'imperfection de nos sens, il est encore possible de parvenir à une connaissance éprouvée de l'Univers. On se souvient aussi de ce philosophe pour sa conception de l'esprit et du corps comme matières également réelles, mais essentiellement distinctes. Descartes se détache de la tradition aristotélicienne et scolastique ; à lui seul, il fait entrer la philosophie dans le « nouvel » âge scientifique et l'empêche de devenir une forme dépassée de la recherche humaine. « Je pense, donc je suis. Dieu est, et il est bon. Le monde n'est que de la matière en mouvement. » La philosophie est certainement une étrange discipline.

Je pense, donc je suis.

Diviser chaque problème en autant de parties qu'il se peut et qu'il est requis pour mieux le résoudre.

Ce n'est pas assez d'avoir l'esprit bon, mais le principal est de l'appliquer bien.

Pour savoir ce que pensent vraiment les gens, portez attention à leurs actes plutôt qu'à leurs paroles.

Chaque problème que j'ai résolu est devenu une règle qui a servi après coup à résoudre d'autres problèmes.

Les nombres parfaits comme les hommes parfaits sont très rares.

Les deux opérations de notre entendement, l'intuition et la déduction, sont les seules dont nous devrions nous servir pour apprendre les sciences.

Il n'y a rien qui soit entièrement en notre pouvoir que nos pensées.

Quand je considère attentivement cela, je ne trouve pas une seule qualité qui sépare nettement la veille du rêve. Comment être sûr que toute la vie n'est pas un rêve ?

Je jugeai que je pouvais prendre pour règle générale que les choses que nous concevons fort clairement et fort distinctement sont toutes vraies, mais qu'il y a seulement quelque difficulté à bien remarquer quelles sont celles que nous concevons distinctement.

Continuez d'avancer. Continuez d'avancer. Toutes les erreurs possibles, je les ai commises, mais je n'ai fait que continuer d'avancer.

Si j'ai ci-devant trouvé quelques vérités dans les sciences, je puis dire que ce ne sont que des suites et des dépendances de cinq ou six principales difficultés que j'ai surmontées, et que je compte pour autant de batailles où j'ai eu l'heur de mon côté.

Si nous avions une connaissance approfondie de toutes les parties de la semence de tout animal (par exemple, l'homme), nous pourrions, à partir de cela seulement, par des raisonnements entièrement mathématiques et sûrs, en déduire toutes les configurations et formes de chacun de ses membres et, inversement, si nous connaissions certaines particularités de cette structure, nous pourrions en déduire la nature de sa semence.

Il est de la prudence de ne se fier jamais entièrement à ceux qui nous ont une fois trompés.

On ne saurait rien imaginer de si étrange et de si peu croyable qui n'ait été dit par un philosophe ou un autre.

Le premier précepte était de ne jamais accepter une chose comme vraie avant de savoir sans l'ombre d'un doute que telle était sa nature.

Les plus grandes âmes sont capables des plus grands vices aussi bien que des plus grandes vertus.

Ces longues chaînes de raisons, toutes simples et faciles, dont les géomètres ont coutume de se servir pour parvenir à leurs plus difficiles démonstrations m'avaient donné l'occasion de m'imaginer que toutes choses qui peuvent tomber sous la connaissance des hommes s'entre-suivent en même façon.

C'est aussi le même de converser avec ceux des autres siècles que de voyager.

Il est facile de haïr et difficile d'aimer. C'est ainsi que toutes les choses fonctionnent. Toutes les bonnes choses sont difficiles à accomplir, et les mauvaises choses sont très faciles à obtenir.

Le bon sens est la chose du monde la mieux partagée, car chacun pense en être si bien pourvu, que ceux mêmes qui sont les plus difficiles à contenter en toute autre chose n'ont point coutume d'en désirer plus qu'ils en ont.

Je suis d'ailleurs étonné quand je considère à quel point mon esprit est faible et sujet à l'erreur.

Si vous êtes vraiment en quête de vérité, vous devriez douter, au moins une fois dans votre vie et autant que possible, de toutes les choses.

J'espère que la postérité me sera clémente, non seulement pour ce que j'aurai expliqué, mais également pour ce que j'aurai décidé de ne pas considérer pour laisser à d'autres le plaisir de la découverte.

CHAPITRE HUIT

Thomas Hobbes

(1588-1679)

- La nature humaine est fondée sur l'intérêt personnel et le désir de pouvoir.
- L'esprit humain n'est que mouvement dans le cerveau.
- Les humains forment une société pour se protéger contre un « état de nature ».

Thomas Hobbes a été l'un des plus grands penseurs politiques de l'histoire de la philosophie. Fils d'un vicaire de Wiltshire, en Angleterre, il n'a pas eu une enfance très heureuse. Lorsqu'il a eu sept ans, son père s'est enfui après une querelle avec un collègue vicaire. Défaite par la tournure imprévue des événements, la mère a envoyé le pauvre petit Tommy vivre avec son oncle Francis.

Thomas a suivi des cours privés à Westport jusqu'à l'âge de quatorze ans. À cette époque, il connaissait déjà parfaitement les auteurs classiques – ayant traduit du grec au latin une œuvre d'Euripide, *Médée*. Imaginez ce qu'aurait été son examen d'entrée à l'université ! Hobbes a continué ses études, obtenant son diplôme d'Oxford en 1608 ; il est ensuite devenu le tuteur de Lord William Cavendish, un membre important des Stuart, une famille royale qui a régné sur l'Angleterre et l'Écosse.

Après que Hobbes eut consacré des années aux voyages et obtenu une promotion à titre de secrétaire, le décès soudain de son pupille Lord Cavendish, alors âgé de 11 ans, lui a fait perdre un ami et son poste de secrétaire. Il a été tuteur d'autres membres de la haute société et a continué à traduire les œuvres classiques, mais ce n'est que dans la quarantaine qu'il s'est intéressé à la philosophie. Dans les années 1630, après une rencontre avec Galilée à Paris, Hobbes devient fasciné par l'interprétation mécaniste de l'Univers, une interprétation fort populaire à l'époque.

Après la publication de son œuvre maîtresse, le *Léviathan*, en 1651, Hobbes est revenu en Angleterre pour rejoindre la famille Cavendish. Il a passé les dernières années de sa vie dans le domaine de cette famille et est mort à l'âge de 91 ans.

La première grande idée de Hobbes : le droit divin ne suffit pas

À une époque où la royauté régnait par droit divin, Hobbes a développé une justification laïque de l'État moderne. Même s'il était royaliste et qu'il appuyait le principe de la monarchie absolue, il ne croyait pas qu'un monarque recevait de Dieu le droit de régner.

La deuxième grande idée de Hobbes : un gouvernement est une institution géniale

D'après Hobbes, la nature humaine est fondée sur l'intérêt personnel et un constant désir de pouvoir. Avant l'avènement des systèmes gouvernementaux, la vie était « brutale et courte » – pensez au roman fantastique de William Golding, *Sa Majesté des Mouches*. C'est ce à quoi le philosophe fait référence quand il parle de l'« état de nature ». Par conséquent, les individus ont conclu un « contrat social » avec un souverain pour assurer leur protection, créant ainsi un gouvernement. Hobbes est le premier d'une longue lignée de penseurs à avoir adopté cette théorie du « contrat social » pour le monde civilisé. Même si c'est la peur qui pousse les individus à opter pour cette solution, ce type de contrat constitue le seul moyen de mener une vie décente. L'État existe pour l'homme, et édicte les lois et la morale. Ses exigences sont d'une bonté suprême, car elles constituent des éléments du contrat social. En bref, nous avons besoin d'un gouvernement, et nous avons besoin de chefs d'État.

La troisième grande idée de Hobbes : le matérialisme

Hobbes croit que le mouvement est le seul principe universel. Par conséquent, l'esprit ne serait pas « une matière pensante », mais un simple mouvement dans le cerveau. Pour Hobbes, le « réel » englobe seulement le monde physique, non les « idées » d'un homme. C'est la doctrine du matérialisme philosophique. Conformément à sa nature, l'homme agit selon ses désirs. Son essence n'est pas d'être « une chose qui pense », mais plutôt d'être une machine en mouvement. De ce point de vue, la raison ne devient qu'une sorte de machine à calculer, un appareil qui relie une chose à une autre. Avec Hobbes, la raison perd la qualité éternelle et divine que Platon et d'autres philosophes lui avaient attribuée. En endossant ce point de vue, Hobbes rejette l'idée de Platon et d'Aristote selon laquelle le gouvernement résulte de l'instinct social naturel de l'homme. Au contraire, l'instinct naturel de l'homme est un « état de nature » ou « de guerre ». L'homme accepte un contrat social par nécessité rationnelle de protection contre l'« état de nature » vers lequel il tend naturellement.

Hobbes considère l'Univers comme étant constitué de « matière en mouvement », une vision scientifique soutenue par Descartes, et applique cette conception mécanique aux êtres humains. De plus, il fournit le premier argument laïque moderne au sujet de la légitimité du gouvernement, et à la fois valide le principe de la monarchie absolue (même s'il ne s'objecte pas à la démocratie, il considère que, sur le plan philosophique, la monarchie réussit mieux à contrôler le penchant guerrier des hommes). Bien que les souverains ne reçoivent pas de Dieu leur droit de gouverner, Hobbes n'a rien contre l'idée qu'un monarque hérite ses fonctions de ses parents. Aujourd'hui, il est toujours d'actualité, sauf que nous n'accepterions jamais que le droit de régner soit basé sur l'identité des parents. Attendez une minute… le ferions-nous ?

La science qui enseigne les arts et les métiers d'art n'est qu'une science qui permet de gagner sa vie, mais la science qui nous enseigne à nous délivrer d'une existence temporelle n'est-elle pas la science véritable ?

Aussi, je mets au premier rang, à titre d'inclination générale de toute l'humanité, un désir perpétuel et sans trêve d'acquérir pouvoir après pouvoir, désir qui ne cesse qu'à la mort.

En l'état de nature, l'utilité est la règle du droit.

Ne pas croire en la force équivaut à ne pas croire en la gravitation.

La science est la connaissance des consécutions, et de la dépendance d'un fait par rapport à un autre.

Car telle est la nature des hommes que, quoiqu'ils reconnaissent que nombreux sont ceux qui ont plus d'esprit [qu'eux-mêmes], qui sont plus éloquents ou plus savants, pourtant ils ne croiront guère que nombreux sont ceux qui sont aussi sages qu'eux-mêmes.

L'esprit désincarné est immortel ; rien en lui ne peut vieillir ni mourir. Or, l'esprit incarné voit la mort à l'horizon dès le premier jour de son existence.

Le droit de nature […] est la liberté que chaque homme a d'user de son propre pouvoir pour la préservation de sa propre nature, c'est-à-dire de sa propre vie.

Car les lois de nature, comme la justice, l'équité, la modestie, la pitié et, en résumé, faire aux autres comme nous voudrions qu'on nous fît, d'elles-mêmes, sans la terreur de quelque pouvoir qui les fasse observer, sont contraires à nos passions naturelles, qui nous portent à la partialité, à l'orgueil, à la vengeance et à des comportements du même type.

La source de toute infraction à la loi est quelque défaut de compréhension, quelque erreur de raisonnement ou quelque soudaine violence des passions.

Une autre doctrine incompatible avec la société civile est que tout ce que fait un homme contre sa conscience est un péché, et elle repose sur la prétention à être soi-même juge du bon et du mauvais. En effet, la conscience d'un homme et son jugement sont la même chose ; et ainsi, comme le jugement, la conscience peut aussi être erronée.

La soudaine gloire est la passion qui produit ces grimaces qu'on nomme le RIRE. Elle est causée soit par quelque action soudaine dont on est content, soit par la saisie en l'autre de quelque difformité, en comparaison de laquelle on s'applaudit soudainement soi-même.

Les corporations ne sont que de nombreuses petites Républiques dans les intestins d'une grande, comme des vers dans les entrailles d'un homme naturel.

L'oisiveté est la mère de la philosophie.

L'intempérance est naturellement punie par des maladies, l'imprudence par la malchance, l'injustice par la violence des ennemis, l'orgueil par la ruine, la lâcheté par l'oppression, et la rébellion par le massacre.

Tous les esprits généreux ont horreur de ce qu'on appelle communément les « faits ». Tout comme l'animal de trait sous le joug du chariot, ainsi est l'esprit sous le joug du corps.

L'appétit lié à l'idée d'atteindre [l'objet] est nommé espoir ; le même, sans une telle opinion, est le désespoir.

Cette crainte des choses invisibles est le germe naturel de ce que chacun appelle religion.

Là où il n'est de pouvoir commun, il n'est pas de loi ; là où il n'est pas de loi, il n'est pas d'injustice.

La vie dans cet état de nature est sans arts, sans lettres, sans société et, ce qui est le pire de tout, une crainte permanente et un danger de mort violente.

Sans lois ni société, la vie de l'homme est solitaire, indigente, dégoûtante, animale et brève.

Bon et mauvais sont des dénominations qui signifient nos appétits et nos aversions, qui diffèrent selon les différents tempéraments, coutumes et doctrines des hommes.

Pendant le temps où les hommes vivent sans un pouvoir commun qui les maintienne tous dans la peur, ils sont dans cette condition qu'on appelle guerre, et cette guerre est telle qu'elle est celle de tout homme contre homme.

J'entreprends mon dernier voyage, un grand saut dans les ténèbres. (Il s'agit des dernières paroles attribuées à Hobbes.)

CHAPITRE NEUF

Benedict Spinoza

(1632-1677)

- Il a nié la causalité finale, même en Dieu.
- Il a soutenu une conception unique de la liberté humaine.
- Il a maintenu que Dieu est la seule et unique substance.

Non seulement Benedict Spinoza a une importance cruciale dans l'histoire du développement de la philosophie occidentale, mais aussi il était assez courageux pour tenir à ses principes et défendre l'esprit de la philosophie en tant que tel. Il a été le Socrate de la philosophie moderne.

Spinoza est né en Hollande de parents portugais juifs en exil. Son père voulait qu'il devienne rabbin ; cependant, Benedict a trouvé peu d'idées satisfaisantes dans la religion juive. Alors, il s'est plutôt tourné vers les philosophes du jour, entre autres Hobbes et Descartes. Après avoir renoncé au judaïsme orthodoxe pour s'en tenir à ses propres idées philosophiques, et ce, peu importe les conséquences, il a été excommunié de la communauté juive. Il s'est installé à La Haye, où il gagnait sa vie en façonnant des lentilles. Ses écrits ont suscité un immense intérêt, mais ils ont aussi provoqué une indignation plus intense. L'indignation était si forte que le philosophe a dû écrire la majorité de son œuvre sous un pseudonyme ! Farouchement dédié à la recherche philosophique indépendante, Spinoza a refusé un prestigieux poste de professeur à l'université d'Heidelberg, un poste qui lui était offert à la condition qu'il demeure raisonnablement orthodoxe. Les dix dernières années de sa vie ont été une période de production exceptionnelle. Spinoza est décédé à La Haye de consomption. Il n'avait que 45 ans.

La première grande idée de Spinoza : Dieu est infini et parfait

Spinoza est célèbre pour son affirmation que « Tout ce qui existe est en Dieu. » Par un curieux effet du hasard, on lui a attribué une étiquette d'athée à cause de cette philosophie, puisque le Dieu de Spinoza (un mot que le philosophe fait alterner avec « nature ») contredisait la conception judéo-chrétienne de la divinité. Spinoza demandait : « Si Dieu est infini et parfait, comment peut-Il accomplir quoi que ce soit qui ait une finalité ? » D'après lui, c'était impossible.

Si Dieu est infini et parfait :

1. Il doit être partout et, en quelque sorte, tout doit être en Lui car, s'Il est une substance infinie, il ne peut y avoir aucune autre substance que Lui.

2. Il doit agir par nécessité, non par choix. Donc, Il ne peut poursuivre un objectif final, car agir pour arriver à une finalité indique nécessairement des lacunes. S'Il a une lacune, Il ne peut être parfait.

Spinoza a commencé à se pencher sur les principes liés à l'idée de Dieu, et il les a suivis jusque dans leurs conclusions logiques. Il n'avait pas pour objectif d'ébranler Dieu comme être infini, mais d'ébranler la notion de Dieu comme la cause finale et délibérée de l'Univers. À l'instar de Descartes, Spinoza croyait que Dieu devait exister, parce que l'essence divine inclut l'existence.

D'après Spinoza, Dieu est la seule substance « réelle » sur terre, une substance composée de deux attributs : la pensée et l'extension. Tout – à partir de nos pensées jusqu'au monde matériel – n'est qu'une minuscule expression d'une substance infinie (Dieu/Nature).

La deuxième grande idée de Spinoza : Dieu n'est pas la cause finale

D'après Spinoza, on avait acquis la notion que Dieu « agissait vers une fin déterminée » parce que les êtres humains, trouvant de nombreuses choses utiles dans la nature, ont fait l'erreur logique de croire que cette « utilité » impliquait une « intentionnalité ». Par exemple, Bessie la vache est bonne à manger et procure aux êtres humains les protéines nécessaires à leur survie. Elle est utile en tant que source de nourriture (désolé, Bessie), mais le seul fait qu'elle soit utile ne signifie pas qu'elle a été créée spécifiquement et volontairement pour servir cet objectif. Cette conception quant à l'« intentionnalité » attribuée à Dieu ou à la Nature émerge d'une erreur logique qui associe « utilité » et « intentionnalité ».

La troisième grande idée de Spinoza : la liberté agit en accord avec notre nature

Spinoza soutient que la véritable liberté ne réside pas dans l'habileté de « choisir » une chose plutôt qu'une autre (le libre arbitre), mais dans l'habileté d'agir selon notre nature et de façon indépendante.

Dieu est libre parce qu'Il est infini et qu'Il n'a besoin de rien d'autre pour exister. Les humains, quant à eux, considèrent que la liberté consiste à comprendre leurs désirs et leur place dans l'Univers comme cause de Dieu.

Spinoza n'est pas simplement un grand philosophe ; il est aussi un homme exceptionnel dont la vie représente un testament à l'esprit même de la philosophie. Spinoza, je vous lève mon verre, Monsieur, Mazal Tov ! (expression signifiant « Félicitations » en hébreu).

Tout ce qui existe est en Dieu et rien ne peut sans Dieu être ni être conçu.

Ne pleurez pas ; ne vous indignez pas. Comprenez.

Ne vous étonnez pas trop de ces nouveautés, car vous savez qu'une chose ne cesse pas d'être vraie pour ne pas être acceptée par plusieurs.

La paix n'est pas l'absence de guerre, c'est une vertu, un état d'esprit, une volonté de bienveillance, de confiance, de justice.

J'ai fait des efforts incessants pour ne pas ridiculiser, pour ne pas pleurer, pour ne pas mépriser les actions humaines, mais pour les comprendre.

Seul est libre celui qui, guidé par la raison, vit dans le libre consentement.

Il n'y a pas d'espoir sans crainte, ni de crainte sans espoir.

Nos actions, c'est-à-dire ces désirs qui se définissent par la puissance ou la raison de l'homme, sont toujours bonnes. Les autres désirs peuvent être tantôt bons, tantôt mauvais.

Il n'est pas de vie raisonnable sans intelligence, et les choses sont bonnes dans la seule mesure où elles aident l'homme à jouir de la vie de l'esprit qui se définit par l'intelligence. Celles au contraire qui empêchent l'homme de parfaire sa raison et de jouir d'une vie raisonnable, nous disons qu'elles seules sont mauvaises. Mais, comme tout ce dont l'homme est la cause efficiente est nécessairement bon, rien de mauvais ne peut arriver à l'homme qui ne vienne de causes extérieures, ce qui signifie qu'il est une partie de la Nature totale, aux lois de laquelle la nature humaine doit obéir, et à laquelle il est forcé de s'adapter presque d'une infinité de façons.

Tout ce qui existe dans la Nature et que nous jugeons être mauvais, autrement dit que nous jugeons capable de nous empêcher d'exister et de jouir d'une vie raisonnable, il nous est permis de l'écarter de nous par la voie qui nous paraît la plus sûre. Au contraire, tout ce que nous jugeons être bon, autrement dit utile pour conserver notre être et jouir d'une vie raisonnable, il nous est permis de nous en emparer pour notre usage et de nous en servir à volonté. Et il est permis sans restriction aucune à chacun, par le droit suprême de la Nature, de faire ce qu'il juge contribuer à son utilité.

Dans la mesure où les hommes sont entraînés les uns contre les autres par l'envie ou par quelque sentiment de haine, ils sont opposés les uns aux autres, et sont par conséquent d'autant plus à craindre qu'ils ont plus de pouvoir que les autres individus de la nature.

Cependant, les âmes ne sont pas vaincues par les armes, mais par l'amour et la générosité. Il est avant tout utile aux hommes de nouer des relations entre eux, de se forger ces liens qui les rendent plus aptes à constituer tous ensemble un seul tout, et de faire sans restriction ce qui contribue à affermir les amitiés.

Bien que la plupart du temps les hommes se gouvernent en tout selon leurs penchants, cependant de leur commune société peuvent suivre beaucoup plus d'avantages que de dommages. C'est pourquoi il vaut mieux supporter leurs injustices d'une âme égale, et tenter de toutes ses forces de gagner la concorde et l'amitié.

En outre, la concorde a d'ordinaire pour origine la crainte, mais sans bonne foi. Ajoutez que la crainte naît de l'impuissance de l'âme, et n'appartient donc pas à l'usage de la raison, non plus que la pitié, encore que celle-ci ait l'apparence de la moralité.

Dans l'acceptation des bienfaits et la reconnaissance qu'il faut alors témoigner, il faut une tout autre prudence.

L'amour sensuel, c'est-à-dire le désir d'engendrer, qui naît de la forme belle, et en général tout amour qui reconnaît une autre cause que la liberté de l'âme, se change facilement en haine, à moins, ce qui est pire, qu'il ne soit une espèce de délire, et alors est favorisée la discorde plutôt que la concorde.

La flatterie aussi fait naître la concorde, mais honteusement viciée par la servitude ou la mauvaise foi, car personne n'est plus facilement conquis par la flatterie que les orgueilleux, qui veulent être les premiers et ne le sont pas.

Dans la dépréciation de soi, il y a une fausse apparence de moralité et de religion. Et, bien que la dépréciation de soi-même soit contraire à l'orgueil, celui qui se déprécie soi-même est cependant très proche de l'orgueilleux.

En outre, la honte contribue à la concorde dans les seules choses qui ne peuvent se cacher. D'autre part, comme la honte elle-même est une espèce de tristesse, elle ne concerne pas l'usage de la raison.

La superstition semble, au contraire, admettre que ce qui est bon, c'est ce qui apporte la tristesse, et qu'inversement ce qui est mauvais, c'est ce qui apporte la joie. Mais, comme nous l'avons déjà dit, à moins d'être envieux, personne ne se réjouit de mon impuissance et de mon préjudice. Car, plus grande est la joie dont nous sommes affectés, plus grande est la perfection vers laquelle nous nous élevons, et par conséquent plus nous participons de la nature divine ; jamais la joie que règle la vraie norme de notre utilité ne peut être mauvaise. Qui est au contraire conduit par la crainte et fait le bien pour éviter le mal n'est pas conduit par la raison.

L'homme qui sait parfaitement que toutes choses suivent de la nécessité de la nature divine et arrivent selon les lois et les règles éternelles de la Nature ne trouvera certes rien qui mérite haine, raillerie ou mépris, et il n'aura non plus pitié de personne ; mais, autant que le permet l'humaine vertu, il s'efforcera de bien faire, comme on dit, et d'être dans la joie.

Dieu n'est pas seulement cause efficiente de l'existence des choses, mais encore de leur essence.

Les choses particulières ne sont que des affections des attributs de Dieu, autrement dit des modes, par lesquels les attributs de Dieu sont exprimés d'une façon définie et déterminée.

Chapitre dix

John Locke

(1632-1704)

- Les idées innées n'existent pas.
- La liberté est la capacité de « choisir ».
- Les droits que Dieu nous a octroyés sont : la vie, la liberté et la propriété.

Locke pourrait être décrit comme un Hobbes décontracté. Il est tout simplement impossible de mesurer son influence sur les concepts philosophiques et gouvernementaux. Si vous consultez la déclaration d'Indépendance et la Constitution américaine, vous trouverez plus de concepts « lockéens » que vous ne pourrez en compter.

John Locke était le fils d'un avocat de Bristol, en Angleterre. Poussé par son père à devenir ministre, il a rejeté cette idée et fait des études tant en philosophie qu'en médecine. Comme tous les Britanniques intelligents que nous présentons dans ce livre, Locke a finalement étudié à Oxford. Dans cette université, il a été énormément influencé par l'idée de tolérance religieuse ; il voulait trouver un terrain d'entente pour les sectes religieuses antagonistes. Ses idées démocratiques étaient considérées comme un défi à la monarchie en général, mais particulièrement à l'autorité de James II ; il a donc dû s'enfuir en Hollande en 1682. Après la Guerre civile et l'exil subséquent de James II, il est revenu en Angleterre en 1689. Au moment de son décès à Oates, quinze ans plus tard, il était devenu un célèbre philosophe, un penseur politique et un personnage révolutionnaire.

La première grande idée de Locke : l'ardoise vierge

John Locke a soutenu que chacun de nous est né « tabula rasa ». Pour ceux d'entre vous qui ne parlent pas couramment le latin, cette expression se traduit par « ardoise vierge ». Chacun de nous a commencé par être une ardoise vierge, une personne ne possédant aucun principe inné éthique ou moral. (Qu'aurait pensé Platon ?)

Locke croit donc que toute connaissance dérive de l'expérience ; c'est la théorie empiriste.

En d'autres mots, si la moralité n'est pas innée, nos notions morales doivent se fonder sur l'expérience, la préservation de soi et la poursuite du bonheur. Nos sens commandent nos idées, et l'acquisition de la connaissance humaine est limitée par ce que nous apportent nos sensations ou notre expérience. La conception épistémologique (théorie de la connaissance) contredit les opinions de Descartes et de Spinoza, qui prétendent que les humains ont des principes et des idées innés qui peuvent être démontrés de façon indiscutable. Selon Locke, on ne peut connaître quoi que ce soit de façon absolue, comme l'essence ou la forme de la matière « réelle » de l'Univers.

Cependant, nos idées sur le monde extérieur avec ses formes, ses extensions et ses mouvements représentent étroitement les corps extérieurs eux-mêmes. Remarquez que Locke tient pour acquis la « réalité » du monde extérieur en affirmant que certaines de nos idées donnent un très bon aperçu de ces phénomènes éternels. Il nous est donc possible de bien comprendre les causes à l'œuvre dans la Nature.

Alors qu'il nous est toujours impossible de comprendre la nature de la matière, Locke affirme qu'il doit bien exister un certain substrat qui cause ces idées représentatives. Il prétend que la nature essentielle de la matière est quelque chose qu'il ne connaît pas.

Bessie la licorne

Même l'idée que je me fais de Bessie la vache portant une corne de licorne sur sa tête est tirée de mon expérience. Alors que je n'ai jamais vu une vache avec une corne sur la tête (je n'ai jamais vu Bessie non plus – bien que je commence à beaucoup aimer l'idée de cette vache), ce concept imaginatif d'une vache-licorne résulte de la capacité de l'esprit de faire le lien entre une idée fournie par l'expérience (une corne) et une autre idée encore fournie par l'expérience (une vache).

Même si nous n'arrivons jamais à une connaissance absolue de la réalité métaphysique des choses, comme la « substance » ou la « forme » ou les « essences », nous en savons suffisamment en bout de ligne pour consolider nos « grandes préoccupations », ce qui signifie que nous en savons assez pour arriver à vivre une meilleure vie et savoir comment nous comporter. Il ne fait aucun doute que la certitude de la méthode de recherche de Descartes et Spinoza, basée sur la « substance », « l'essence » et d'autres concepts de ce type, est sérieusement remise en question par Locke.

La deuxième grande idée de Locke : les droits naturels

Comme Hobbes, Locke croit que dans un « état de nature » (avant l'existence des gouvernements), les hommes devaient accepter un contrat social avec une quelconque puissance souveraine pour assurer leur protection. Locke affirme cependant que l'état de nature n'était pas un lieu horrible où régnait la violence provoquée par l'égoïsme et les instincts brutaux de l'humanité. Au contraire, Locke voit l'état naturel de l'homme comme un espace où régnaient la bonté et l'entraide. Les êtres humains ont conclu un contrat social et ont formé des gouvernements parce que cette situation leur assurait une plus grande stabilité et une meilleure protection, pas parce que leur vie était si terrible et si violente. À partir de sa compréhension de l'état de nature et des instincts naturels de l'homme, Locke a eu l'idée que l'homme possède certains « droits naturels ». C'est Dieu qui accorde aux hommes ces droits naturels que sont la vie, la liberté et la propriété (rappelez-vous la déclaration d'Indépendance !). Locke clamait que la propriété était un « droit naturel » ; il s'agit là de l'une de ses plus célèbres affirmations. D'après lui, dans « l'état de nature », les hommes comprenaient le concept de propriété mais, pour protéger ce droit accordé par Dieu, ils se sont donné des gouvernements.

La troisième grande idée de Locke : les gens devraient se gouverner eux-mêmes

Selon Locke, Dieu ayant accordé des droits naturels à l'homme, le gouvernement devrait faire respecter ceux-ci. Lorsqu'un gouvernement transgresse, ne serait-ce qu'un seul de ces droits, il abuse de son pouvoir et il devrait être renversé. Selon Hobbes, on devrait se révolter uniquement si un gouvernement est faible et sans contrôle, et l'empêcher d'empiéter sur les « droits naturels. » S'il abuse de son pouvoir, il faut s'en débarrasser. L'importance de restreindre l'abus de pouvoir a conduit Locke à défendre la notion d'un certain type de gouvernement représentatif. Pour lui, le rôle de la législature est extrêmement important. Ces concepts forment la base de quelques-uns de nos idéaux politiques les plus chers. Voilà donc un gars sensé !

Nous sommes tout à fait incapables d'une connaissance absolue et universelle.

Ce qui vous inquiète vous domine.

Dès que cesse la loi, la tyrannie commence.

Il arrive souvent qu'on apprenne beaucoup plus des questions spontanées d'un enfant que des discours des hommes.

La rêverie, c'est quand les idées flottent dans notre esprit sans réflexion ou recherche d'une compréhension.

La lecture ne fournit à notre esprit que du matériel de connaissance ; c'est la réflexion qui nous permet de nous approprier ce que nous avons lu.

Les parents se demandent pourquoi l'eau des ruisseaux est âpre, alors que ce sont eux qui en ont empoisonné la source.

Si nous ne croyons à rien parce que nous ne pouvons connaître toutes choses avec certitude, nous ne sommes pas plus sages que celui qui ne se sert pas de ses jambes et qui reste là, immobile, à se laisser mourir parce qu'il n'a pas d'ailes pour lui permettre de voler.

La crainte du mal inspire bien plus les actions humaines que la perspective du bien.

Les actions des hommes sont les meilleurs interprètes de leurs pensées.

La connaissance de l'homme ne saurait s'étendre au-delà de sa propre expérience.

Pour bien entendre en quoi consiste le pouvoir politique et connaître sa véritable origine, il faut considérer dans quel état tous les hommes sont naturellement. C'est un état de parfaite liberté.

Et la raison [...] enseigne à tous les hommes, s'ils veulent bien la consulter, qu'étant tous égaux et indépendants, nul ne doit nuire à un autre, par rapport à sa vie, à sa santé, à sa liberté, à son bien.

Chaque homme est propriétaire de sa propre personne. Personne n'a de droit sur lui, sauf lui-même.

Le gouvernement n'a d'autre finalité que de protéger la propriété.

Un corps législatif qui offense la loi naturelle doit être destitué.

Le bien et le mal, la récompense et la punition, sont les seules motivations d'une créature de raison. Ce sont les aiguillons et les rênes qui guident l'humanité et la mettent au travail.

Chapitre onze

David Hume

(1711-1776)

- Il a poussé l'empirisme de Locke jusqu'au scepticisme.
- Il a nié la base rationnelle de la cause et de l'effet.
- Il a nié la base rationnelle du monde extérieur.

Quand je pense à David Hume, l'image qui me vient à l'esprit est celle d'un gentleman anglais d'un certain âge qui, un jour (probablement pendant qu'il était en train de lire Spinoza), s'est levé et a crié « Assez de non-sens métaphysique ! » Même si cette image n'a rien d'un fait historique, on peut déduire de l'œuvre de Hume un désir de découvrir, une fois pour toutes, les limites de la connaissance humaine et de soustraire la philosophie de la recherche de vérités impossibles à atteindre.

Né à Édimbourg, en Écosse, David Hume a obtenu un diplôme en droit de l'université d'Édimbourg. Il est devenu politicien et a occupé quelques postes dans la fonction publique. Puis il s'est consacré à la philosophie en espérant avoir le même succès dans ce domaine que Newton en sciences. Hume n'était sûrement pas le plus humble des hommes. Ses premiers écrits n'ont eu qu'une faible écoute, et il a dû gagner sa vie comme libraire, diplomate et essayiste. Ses écrits historiques sur l'Angleterre lui ont finalement permis de gagner modestement sa vie. Ce n'est qu'après sa mort qu'il a acquis une solide réputation à titre de philosophe incontournable.

Peu importe, Hume est un personnage qui a marqué la pensée philosophique. Il a tenté de débarrasser la philosophie de toute question spirituelle. L'âme, l'Univers, voire « soi », tout cela existe sans justification rationnelle, d'après Hume. Spinoza a poussé les conceptions scolastiques et cartésiennes de la Nature de « substance » et de « Dieu » à leurs conclusions logiques, et Hume en a fait autant avec les perspectives empiriques de Locke et Hobbes.

La première grande idée de Hume : en réalité, nous ne savons vraiment pas grand-chose

Hume affirmait que la connaissance est soi-disant dérivée de l'expérience du monde extérieur, mais qu'il n'existe pas de preuve rationnelle de l'existence d'un tel Univers. D'après lui, notre « idée » de quelque chose est à peine une reproduction de notre « impression » immédiate. Les couleurs et les sons, le plaisir et la douleur sont des exemples d'« impressions ». Nos « idées » ne sont que de pâles imitations de ces impressions. Étant donné que nous ne pouvons jamais savoir ce qui, ou si quelque chose, a causé ces impressions et ces sensations, nous ne pouvons jamais fournir une détermination rationnelle d'un monde externe. En d'autres mots, en réalité, nous ne savons vraiment pas grand-chose.

Bessie est Bessie la vache

Locke a affirmé que notre connaissance de Bessie la vache se fonde sur le fait que quelque chose a nécessairement causé notre perception de Bessie elle-même. La Bessie que nous voyons est une sorte de représentation intermédiaire d'un objet existant. Hume va plus loin et affirme que nous ne pouvons fournir aucune base rationnelle affirmant que notre idée de Bessie est la représentation de quelque chose.

De plus, Hume déclare que même s'il existe un monde extérieur, il est impossible de déterminer de façon rationnelle toutes les conceptions de relations de « cause » et d'« effet » d'une étude scientifique. Par exemple, si je suis au sommet de l'Empire State Building, que je lâche Bessie et, qu'après que j'aie cessé de la retenir elle fait une chute au sol, de quoi suis-je vraiment témoin ? L'affirmation scientifique de l'époque consiste à conclure que le fait que je l'aie laissée partir est la « cause » de sa chute. *Or, nous ne pouvons jamais connaître la nature de Bessie* autrement que par notre expérience intermédiaire de cette dernière (en supposant que Bessie existe). Nous pouvons donc simplement en venir à la conclusion qu'un événement, le fait d'avoir lâché Bessie, a précédé un second événement, l'éclaboussement de la bête sur la 34th Street. Sur le plan rationnel, il est impossible de démontrer que le fait d'avoir lâché la vache ait « produit » ou « causé » la chute de celle-ci. Cette conception de la « cause » n'est qu'une supposition qui provient de notre habitude d'être témoin d'un événement précédé par un autre. Toutefois, il n'existe pas de base rationnelle pour conclure qu'il en sera toujours ainsi, car il nous est impossible d'arriver à la conclusion que quelque chose a réellement « causé » quelque chose d'autre. Nous pouvons donc simplement supposer que ce qui est arrivé dans le passé se produira de nouveau dans l'avenir.

Cependant, la cause, l'effet et le monde extérieur ne se justifient pas sur le plan rationnel ; ils se veulent en dehors de nos hypothèses et de nos habitudes. Comme l'admettait Hume dans une boutade bien connue, « Ce ne serait tout de même pas intelligent de me jeter par la fenêtre. » Alors, nous ne pouvons fournir la moindre base rationnelle pour déterminer que les choses tourneront mal et, selon le philosophe, si nous assumons qu'il en sera ainsi, il vaudra mieux prévenir que guérir.

Quel enseignement tirons-nous de ce scepticisme ? La véracité de toute croyance est-elle rationnellement démontrable ? D'après Hume, seules les « relations d'idées » sont démontrables. Ainsi, il est possible de démontrer le fait mathématique qu'un carré possède quatre côtés parce que cette démonstration ne requiert absolument aucune référence à un monde extérieur, un monde que nous ne pouvons pas VÉRITABLEMENT CONNAÎTRE, un monde qui, selon tout principe rationnel, pourrait même ne pas exister.

La seconde grande idée de Hume : les propriétés morales tirent leur origine des perceptions

D'après Hume, dans le domaine de la réalité objective, il n'existe ni lois ni propriétés morales absolues. C'est dire que la moralité n'est pas comprise dans « le monde ». Cette affirmation contredit le point de vue de Platon qui déclare que l'idée ou la forme de quelque chose comme la « justice » est une réalité indépendante et objective extérieure à la perception que nous en avons. Par contre, d'après Hume, la moralité consiste en des sensations et des sentiments entièrement subjectifs que les êtres humains sont disposés à ressentir.

Prenons l'exemple du Grand Canyon. Cette œuvre de la Nature est-elle vraiment magnifique ? Platon dirait que la « beauté » est une chose « réelle » dans le monde et que la « beauté » du Grand Canyon est un fait qui, à vrai dire, est inclus dans le Grand Canyon. Hume, un empiriste comme Locke et Hobbes avant lui, affirme que la « beauté » n'est pas une chose « réelle » dans le monde, mais simplement une réaction subjective des êtres humains lorsqu'ils regardent le Grand Canyon. La même logique s'applique à son idée de moralité. On n'a qu'à penser à une de ses affirmations mémorables : « Examinez un meurtre prémédité sous tous ses angles, et son aspect vicieux vous échappe totalement. » En d'autres mots, l'aspect « vicieux » du meurtre, tout comme la « beauté » du Grand Canyon, n'est qu'une réaction subjective particulière, et n'est « réel » que dans les perceptions des êtres humains.

Tout comme je lâche Bessie, Hume laisse tomber toutes les affirmations philosophiques l'ayant précédé. L'affirmation de Locke voulant que le monde extérieur cause la sensation et l'affirmation métaphysique voulant que Dieu soit la cause de l'Univers sont jetées par la fenêtre. Par son scepticisme, Locke a soulevé d'importantes questions qui ont dû être abordées… par… Oh, merci, mon Dieu ! Kant va nous sauver !

Lorsque l'ambition peut dissimuler ses œuvres, même à la personne concernée, et ce, sous l'apparence de principes, elle est la plus incurable et la plus inflexible des passions.

Il est rare que la liberté, de quelque espèce qu'elle soit, ait été détruite d'un seul coup.

L'art peut faire un ensemble vestimentaire mais la nature produit un homme.

La beauté des choses existe dans l'esprit de celui qui les contemple.

L'accoutumance est le grand guide de la vie humaine.

Les sommets de la popularité et du patriotisme sont les sentiers battus qui mènent au pouvoir et à la tyrannie, tout comme la flatterie mène à la trahison, les armées de métier à un gouvernement arbitraire, et la gloire de Dieu à l'intérêt temporel du clergé.

Ce n'est pas la raison qui guide la vie, mais l'habitude.

L'habitude peut nous mener à la croyance et à l'espérance, mais pas à la connaissance, et encore à moins à l'arrangement des relations légales.

Si nous prenons en main un volume quelconque, de théologie ou de métaphysique scolastique, par exemple, demandons-nous : contient-il des raisonnements abstraits sur la quantité ou le nombre ? Non. Contient-il des raisonnements expérimentaux sur des questions de fait et d'existence ? Non. Alors, mettez-le au feu, car il ne contient que sophismes et illusions.

La grande fin de toute activité laborieuse de l'homme, c'est d'atteindre le bonheur. Dans ce but, les arts furent inventés, les sciences cultivées, les lois ordonnées, et les sociétés modelées par la plus profonde sagesse des patriotes et des législateurs. Même le sauvage solitaire, exposé à la rigueur des éléments et à la fureur des bêtes sauvages, n'oublie pas un instant ce grand objectif de son existence.

Un homme sage proportionne sa croyance à l'évidence.

Le coeur de l'homme est fait pour réconcilier les contradictions les plus éclatantes.

Dans toutes les déterminations de la moralité, cette circonstance de l'utilité publique n'est jamais principalement mise en perspective ; et quand les conflits surgissent, que ce soit dans la philosophie ou dans la vie ordinaire, en ce qui concerne les limites du devoir, la question ne peut, par aucun moyen, être décidée avec une plus grande certitude qu'en s'assurant de veiller… aux véritables intérêts de l'humanité.

La vérité surgit d'une discussion entre amis.

On a fait de l'apprentissage un grand perdant en l'isolant dans les collèges et les cellules, et en le soustrayant du monde et de la bonne compagnie.

Éteignez tous les chauds sentiments et toutes les préventions favorables à la vertu et toute répugnance et toute aversion pour le vice ; rendez les hommes totalement indifférents à l'égard de ces distinctions ; et la morale n'est plus une étude pratique ; elle n'a plus aucune tendance à régler nos existences et nos actions.

Peut-on dire quelque chose de plus puissant au sujet d'une profession…
que d'observer les bénéfices qu'elle procure à la société ? Et le moine et l'in-
quisiteur ne se mettent-ils pas en colère quand nous traitons leur ordre
d'inutile et de pervers pour l'humanité ?

On louange naturellement le don d'une aumône à un mendiant parce que
ce geste semble apporter du soulagement au désespéré et à l'indigent. Mais
quand nous observons dès lors l'encouragement à l'oisiveté et à la débau-
che, nous voyons ce type de charité comme une faiblesse plutôt qu'une
vertu.

CHAPITRE DOUZE

Emmanuel Kant

(1724-1804)

- Il est le philosophe le plus influent des temps modernes.
- Il a établi une base entièrement nouvelle pour le développement de la connaissance humaine.
- Il a proposé une nouvelle base pour la moralité.

Emmanuel Kant est le philosophe le plus influent des temps modernes. Avec son œuvre *Critique de la raison pure*, il a révolutionné le monde philosophique, tout comme les Beatles ont révolutionné le monde de la musique avec *Sgt. Pepper*.

À première vue, Kant semble un candidat peu probable pour la philosophie. Il est né à Königsberg, en Allemagne, de gens simples et modestes. Après avoir reçu une éducation luthérienne pieuse, il a été admis à l'âge de seize ans à l'université de Königsberg, où il a finalement obtenu un poste de professeur. Contrairement à la plupart des philosophes que nous avons étudiés, Kant n'a pas voyagé. De fait, il n'a jamais quitté les environs de sa ville natale, jamais ! Kant a commencé à rédiger ses écrits philosophiques à la fin de la cinquantaine. Dans l'ensemble, sa vie personnelle était stable, voire un peu terne. Kant a passé les années qu'il a consacrées à la philosophie à écrire près de sa fenêtre, inspiré par la vue d'une cathédrale. Chaque matin, il se réveillait à la même heure. Ses promenades quotidiennes se produisaient avec une telle régularité qu'on racontait qu'on pouvait régler sa montre lorsqu'on le voyait déambuler. Il n'a peut-être pas été le type le plus excitant que la terre ait connu, mais il est certainement une figure philosophique révolutionnaire.

La grande idée de Kant : l'espace et le temps

Selon Kant, deux structures évidentes de notre expérience précèdent les sensations ; les concepts de l'espace et du temps. Ainsi, l'esprit ordonne toutes les données de nos sens, tant dans l'espace que dans le temps. Ces structures précèdent et déterminent l'expérience elle-même. Kant a affirmé que la causalité et la matière sont aussi des structures de l'esprit qui précèdent l'expérience. Notre expérience est nécessairement ordonnée par les structures universelles de l'espace et du temps.

Bessie la vache

Par exemple, Kant dirait (comme Hume) que nous ne pourrions jamais connaître la nature de Bessie hors de l'expérience personnelle que nous en avons. D'un autre côté, si Bessie est peinte en jaune, puis en bleu, nous reconnaîtrons plus qu'un simple changement de couleur (la perception). En fait, nous reconnaîtrons que la même entité (la vache) a subi un changement. Étant donné que notre expérience survient dans un espace de temps, nous pouvons comprendre la succession des événements qui ont fait passer une vache du jaune au bleu, indiquant une « cause » de ce changement. Alors que les empiristes, comme Locke ou Hume, affirmaient qu'il est impossible d'acquérir une connaissance universelle de notre monde, Kant dit que nous pouvons avoir une connaissance universelle (« a priori » ou « non basée sur l'expérience ») de certains principes, par exemple les lois de la Nature.

Même si nous sommes limités à ne connaître que ce qui fait partie de notre propre expérience (nous ne pouvons parler de Dieu ou des substances comme le fait Spinoza), nous pouvons toujours posséder une connaissance d'un monde qui n'est pas dérivée de notre expérience. Pour clarifier ce concept, Locke, Hume, Hobbes et tous les autres empiristes soutiennent deux positions sur la connaissance. La première, c'est que les humains sont limités à la connaissance de leur expérience. C'est dire, contrairement aux propositions de Platon ou d'Aristote, qu'il nous est toujours impossible de comprendre la véritable nature d'une table ou d'une chaise au-delà de notre expérience de cette table ou de cette chaise, ce qui serait plutôt intuitif.

Or, la seconde position (celle à laquelle s'oppose Kant), c'est que la connaissance est par conséquent dérivée de l'expérience. Selon Kant, il s'agit d'une erreur car notre expérience possède des structures nécessaires et universelles. Notre esprit se donne lui-même ces structures pour ordonner notre expérience et la rendre intelligible. Ainsi, si notre expérience est ordonnée par des structures comme l'espace et le temps, ces dernières doivent précéder et déterminer l'expérience. Donc, par l'usage de la raison, il nous est possible d'acquérir une connaissance a priori ou « libre d'expérience » au sujet de ce qui fait partie de notre expérience ou de ce qui lui appartient.

Par conséquent, les lois de la Nature, par exemple, sont un objet de connaissance et il est possible de les démontrer rationnellement. Selon Kant, elles n'expliquent pas la nature du monde actuel, mais elles constituent plutôt des principes universels quant à la façon d'expérimenter ce monde.

Il est important de noter que Kant conçoit l'esprit humain à la manière des Anciens, soit comme jouant un rôle actif. Nous ne sommes pas simplement des ardoises vierges à la Locke, des êtres qui tirent la connaissance de leur expérience, mais nous – nos esprits – établissons nous-mêmes les conditions et les structures de la manifestation de cette expérience.

Kant considère que pour être moral, vous devez « agir de telle façon que votre principe d'action puisse devenir une loi universelle ». C'est son « impératif catégorique ». Voyons comment il fonctionne.

Pour exposer le caractère contradictoire des maximes immorales ou amorales, Kant examine la phrase suivante : « Les promesses devraient toujours être brisées. » Pour lui, « l'impératif catégorique » indiquera qu'il s'agit d'une contradiction logique, et nécessairement immorale par nature.

Cette maxime ne peut relever d'un ordre moral universel, car on priverait ainsi le mot « promesse » de toute signification. De plus, si on maintient l'idée de « promesse » et par conséquent celle de « tenir sa promesse » (dans cet ordre d'idées, il faut comprendre qu'il est sous-entendu que la promesse sera tenue) et qu'on affirme en même temps que « les promesses devraient toujours être brisées », il y a une contradiction logique. C'est fondamentalement la même chose que de dire : « Nous prendrons ces engagements nommés « promesses » et nous les briserons toujours. » Donc, pour quelle raison ce mot existe-t-il ? L'impératif catégorique est un type de « test » logique censé exposer et séparer un ordre moral (qui doit être suivi) de ce qui est soit amoral soit immoral par nature.

Les théories épistémologiques et morales de Kant sont aussi fascinantes qu'elles sont épineuses. Nous pouvons connaître notre expérience parce qu'elle est nécessairement commandée dans l'espace et le temps. Il s'agit là d'un truc assez puissant pour un garçon d'origine modeste qui, né dans une petite ville, ne s'est jamais préoccupé de sortir de son patelin.

Si toute connaissance débute par l'expérience, cela ne prouve pas que toutes les connaissances dérivent de l'expérience.

Patientez un moment ; les calomnies ne vivent pas longtemps. La vérité est l'enfant du temps ; avant longtemps elle apparaîtra et vaincra.

La science est la connaissance organisée. La sagesse est la vie organisée.

On peut envisager l'histoire de l'espèce humaine en gros comme la réalisation d'un plan caché de la nature pour produire une constitution politique parfaite sur le plan intérieur et également parfaite sur le plan extérieur ; c'est le seul état de choses dans lequel la nature peut développer complètement toutes les dispositions qu'elle a mises dans l'humanité.

Il n'est pas nécessaire que je sois heureux pendant que je vis, mais il est nécessaire que je vive honorablement aussi longtemps que je vivrai.

Le cœur humain refuse de croire en un Univers qui n'a pas de raison d'être.

La guerre crée plus de méchants qu'elle n'en supprime.

La fonction d'un véritable État consiste à imposer le minimum de restrictions et à préserver le maximum de liberté aux gens du peuple, et à ne jamais considérer la personne comme une chose.

L'éternel mystère du monde est son intelligibilité.

Reconnais toujours que les êtres humains ont leurs propres fins, et ne te sers pas d'eux comme de moyens pour atteindre tes propres fins.

L'expérience sans la théorie est aveugle, mais la théorie sans expérience est un simple jeu intellectuel.

Être, c'est agir.

Le bonheur n'est pas un idéal de la raison mais de l'imagination.

La métaphysique est un océan sombre sans rivages ni phare, parsemé de plusieurs épaves philosophiques.

D'après la loi, un homme est coupable lorsqu'il viole les droits des autres. Dans le domaine de l'éthique, il est coupable du simple fait d'y penser.

L'intuition et les concepts constituent les éléments de toute notre connaissance : ainsi, aucun concept sans intuition qui, d'une manière ou d'une autre lui corresponde, ni intuition sans concept, ne peuvent produire de connaissance.

Deux choses remplissent mon esprit d'une admiration et d'un respect inces-
sants : le ciel étoilé au-dessus de moi et la loi morale en moi.

Quand il s'agit de valeur morale, l'essentiel n'est point dans les actions, que
l'on voit, mais dans ces principes intérieurs des actions, que l'on ne voit pas.

La volonté de Dieu n'est pas tout simplement que nous soyons heureux,
mais plutôt que nous nous rendions heureux.

CHAPITRE TREIZE

G.W.F. Hegel

(1770-1831)

- Il voit l'Histoire comme une progression de la liberté.
- Il considère la philosophie comme un idéalisme absolu.
- Pour lui, le réel est rationnel.

Hegel est incontestablement le penseur le plus ambitieux et le plus méthodique depuis Aristote. Ses idées ont captivé l'intelligentsia allemande, tout comme Bruce Springsteen captive l'ouvrier du New Jersey.

Né à Stuttgart en Allemagne, Hegel a reçu une éducation impeccable dans une famille unie et chaleureuse. Sa mère était une femme au foyer, et son père un petit fonctionnaire. Hegel est par la suite entré à l'université de Tübingen, où il a démontré peu d'enthousiasme pour les études ; sur son diplôme, on a noté qu'il avait une bonne compréhension de la théologie, mais une compréhension inadéquate de la philosophie. Or, Hegel a montré de quoi il était capable ! Il a travaillé comme tuteur privé et professeur au secondaire, avant d'occuper une chaire de philosophie à l'université de Berlin. Il s'y est distingué de façon importante et, durant les dix dernières années de sa vie, il est devenu célèbre dans toute l'Europe.

Comme tous les philosophes de son époque, Hegel admirait Kant et en acceptait les idées fondamentales. Vous vous souviendrez cependant que, même si Kant avait sécurisé notre connaissance des vérités universelles de ce monde par notre expérience, il n'avait rien apporté sur le monde au-delà de notre expérience. Hegel était insatisfait.

La première grande idée de Hegel : le monde a un sens

D'après Hegel, le monde naturel est rationnel. Quoi, que dites-vous ? Le monde lui-même est rationnel ? Oui, affirme Hegel. Le monde physique est rationnel et empreint de signification. Tout sur terre est une manifestation du monde spirituel (ou *Weltgeist*), dont la réalisation dans notre monde est un processus rationnel, dialectique. La réalité ultime est l'idée ou l'esprit (ce qui sait). L'idéalisme absolu de Hegel prétend que tout ce qui existe est absolument et essentiellement lié à une idée absolue, à l'esprit ou à l'âme.

D'accord, faisons marche arrière. Commençons par la dialectique de Hegel. Il s'agit du processus logique de la découverte de la vérité, un processus qui se compose de la thèse, de l'antithèse et de la synthèse. Cette dernière est la forme suprême de la vérité. Elle rassemble les concepts opposés que sont la thèse et l'antithèse.

Dialectique hégélienne
Thèse : concept de « quelque chose qui existe »
Antithèse : concept de « rien »
Synthèse : concept de « devenir »

Fondamentalement, à partir du concept « quelque chose qui existe », on pense au concept opposé, « rien ». Toutefois, la connaissance ne se termine pas ici. Dans le développement de la connaissance, on parvient à la « vérité suprême » par la synthèse de deux concepts opposés. Par conséquent, on crée le nouveau concept « devenir » par la synthèse de « ce qui existe » et de « rien ».

Nous retrouvons cette dialectique non simplement dans notre conscience humaine, ce qui nous aide à comprendre le monde, mais aussi dans le monde lui-même. Ce monde est un processus dans lequel la réalité ultime (âme) se dévoile dans des entités réelles (physiques). Ainsi, nous pouvons tout comprendre dans le monde, car tout est le résultat d'une idée absolue (ou esprit).

La seconde grande idée de Hegel : l'Histoire a une raison d'être

Devenu célèbre pour sa vision historique, Hegel trace le développement du monde spirituel en tant que quête pour la liberté. L'Histoire n'est que le développement progressif de cette liberté. Elle possède une raison d'être. Cette dernière est rationnelle : c'est la révélation de l'idée de liberté dans la conscience humaine.

La première étape de la liberté est une reconnaissance du soi par opposition à son antithèse, « l'autre ». Prenons par exemple un maître et un esclave. Même si l'esclave est dominé par le maître, il travaille et il crée. Son identité est établie par rapport à son travail ou à sa création. Pendant ce temps, le maître est dépendant à la fois du travail de l'esclave et de sa reconnaissance comme « maître ». En dominant l'esclave, il est aussi dominé par sa dépendance à l'esclave. En fin de compte, ni l'esclave ni le maître ne sont libres. Cette prise de conscience est la synthèse de la thèse et de l'antithèse.

Une fois cette prise de conscience acceptée, l'histoire humaine peut passer à un nouveau niveau de mentalité. Par conséquent, elle devient un processus dans lequel l'esprit absolu se manifeste lui-même dans la conscience humaine au moyen de la synthèse qui résulte de la thèse et de l'antithèse, et l'idée de liberté se raffine au cours de ce processus.

Hegel soutient que l'incarnation finale de l'esprit se retrouve dans l'État constitutionnel moderne. L'État lui-même déterminera la moralité et la conduite éthique ; pour Hegel, ce n'est que dans le contexte social de l'État que l'individu peut être libre. D'après lui, c'est uniquement dans ce contexte que la liberté individuelle trouve sa véritable valeur et sa véritable signification.

Dans la décennie qui a suivi la mort de Hegel, plusieurs Allemands se considéraient comme « hégéliens ». Bien que cette mode n'ait pas duré, on ne peut nier l'influence de Hegel sur des philosophes comme Karl Marx, et bien d'autres. Sans compter que l'entreprise philosophique ambitieuse et méthodique de Hegel est inspirante.

Ce qui est réel est rationnel ; ce qui est rationnel est réel.

Ce que l'expérience et l'Histoire nous enseignent, c'est que les peuples et les gouvernements n'ont jamais rien appris de l'Histoire et qu'ils n'ont jamais agi selon les doctrines qu'on pouvait en tirer.

Les tragédies authentiques du monde ne sont pas des conflits entre le bien et le mal. Ce sont des conflits entre deux droits.

Je ne suis pas laid, mais ma beauté est une création totale.

Écoutez bien ceci, vous, fiers hommes d'action ! Vous n'êtes, après tout, que les instruments inconscients des hommes de pensée.

Rien de grand ne s'est accompli dans le monde sans passion.

Un seul homme m'a déjà compris, et il ne m'a pas compris.

Trop juste pour louanger, trop divin pour aimer.

La seule pensée que procure la philosophie... à la contemplation de l'Histoire est le simple concept de la raison ; cette raison est la souveraine du monde et, par conséquent, l'histoire du monde nous offre un processus rationnel.

L'esprit possède une existence indépendante. Or, en fait, il s'agit exactement de la liberté, parce que si je suis dépendant, mon être se référera à quelque chose que je ne suis pas ; je ne peux pas exister indépendamment *de quelque chose d'externe. Au contraire, je suis libre quand mon existence ne dépend que de moi.*

L'Histoire du monde n'est rien d'autre que le progrès de la conscience de la liberté… le destin du monde spirituel, et la cause finale du monde dans son ensemble, que nous affirmons être la conscience de l'esprit de sa propre liberté et, ipso facto, la réalité de cette liberté… La finalité est le but de Dieu par rapport au monde ; or, Dieu est l'être absolument parfait et peut, par conséquent, ne désirer rien d'autre que Lui-même.

Toute la valeur que possède l'être humain, toute sa réalité spirituelle, il ne la possède qu'à travers l'État… car la vérité est l'unité de la volonté universelle et subjective ; et on doit retrouver l'universel dans l'État, dans ses lois, dans ses arrangements universels et rationnels. L'État est l'idée divine telle qu'elle existe sur terre. Par conséquent, l'objet de l'Histoire est mieux défini qu'auparavant ; en cela la liberté acquiert de l'objectivité, car la loi est l'objectivité de l'esprit.

La nation vit le même type de vie que l'individu… dans le plaisir qu'il se donne, dans la satisfaction d'être exactement ce qu'il désirait être… (et dans) l'abandon des aspirations… [qui en résultent]. [La nation glisse dans une] vie simplement coutumière (comme la montre que l'on remonte et qui fonctionne d'elle-même), dans une activité sans opposition. Et c'est ce qui la fait mourir… Ainsi périssent les individus, ainsi périssent les nations, de mort naturelle.

La signification de cet « ordre absolu », connais-toi toi-même – que nous l'observions en lui-même ou à travers les circonstances historiques où il fut prononcé –, ne consiste pas à faire la simple promotion d'une connaissance de soi par rapport aux habiletés, au caractère, aux propensions et aux manies de l'individu. La connaissance qu'elle ordonne signifie celle de la réalité authentique de l'homme – de ce qui est essentiellement et ultimement vrai et réel –, de l'esprit en tant qu'être vrai et essentiel.

Chacune des parties de la philosophie est un tout philosophique, un cercle qui se ferme sur lui-même, mais où l'idée philosophique est dans une déterminité particulière, ou dans un élément particulier. C'est pourquoi, parce qu'il est en lui-même totalité, le cercle singulier brise aussi les limitations de son élément et fonde une sphère plus vaste ; le tout se représente ainsi comme un cercle de cercles, dont chacun est un moment nécessaire, en sorte que l'idée totale est constituée par le système de ses éléments propres, et qu'elle n'apparaît pas moins dans chaque élément singulier.

Un premier coup d'œil à l'Histoire nous convainc que les actions des hommes ne semblent émaner au fond que de leurs besoins, de leurs passions, de leurs caractères et de leurs talents ; ce premier coup d'œil nous impressionne par la croyance que de tels besoins, passions et préférences sont les seuls motifs de leurs actions.

Il est plus facile de découvrir un défaut chez les individus, les États et la Providence que de voir leur valeur et leur contribution.

La simple bonté est assez impuissante devant le pouvoir de la nature.

La première condition de la philosophie, c'est le courage de la vérité.

Chapitre quatorze

Karl Marx

(1818-1883)

- Il est le philosophe de l'action.
- Il a révolutionné notre façon de concevoir la société.
- Selon lui, l'Histoire est un « conflit de classes ».

Karl Marx est un philosophe investi d'une mission. Lorsque nous pensons à lui, des images de révolution, de pouvoir et de souffrances humaines nous viennent à l'esprit, et non celles d'un élitiste universitaire qui ne cesse de parler de choses sans importance. Nous pensons à un homme dont on a appliqué la philosophie, et dont l'œuvre est encore pertinente de nos jours.

Troisième d'une famille de neuf enfants, Marx est arrivé en ce monde à Trier, en Allemagne. D'ascendance juive, ses parents s'étaient convertis au protestantisme pour protéger l'emploi de son père comme avocat du gouvernement. Marx, le philosophe atypique, n'était pas un étudiant modèle. Pendant qu'il étudiait à l'université de Bonn, il passait la majorité de son temps à boire. Il a éventuellement remis de l'ordre dans sa vie et commencé à se concentrer sur ses études pour obtenir un doctorat en philosophie de l'université d'Iéna.

En raison de ses opinions de gauche, il lui était difficile d'accéder à un poste de professeur. Il a déménagé à Cologne, où il a très bien réussi comme rédacteur en chef d'un journal. Puis il est allé à Paris, où il a frayé avec les autres socialistes de l'époque. C'est là qu'il a rencontré son ami de toujours, son collaborateur et son bailleur de fonds, Frederick Engels. Marx a fini par s'installer à Londres, où il a eu d'énormes difficultés à vivre en raison de la piètre gestion de ses finances. Plus tard, alors qu'il s'est stabilisé sur le plan financier, des furoncles ont envahi l'ensemble de son corps ; il les a soignés à l'arsenic et à l'opium, mais en vain. Il est décédé d'une bronchite en 1883.

La grande idée de Marx : nous vivons dans un monde matériel

Comme Hegel, Marx croyait que l'Histoire était un processus dialectique. Toutefois, selon lui, ce processus n'était pas guidé par un Esprit absolu, mais plutôt par les forces économiques et la lutte des classes de l'humanité. Marx est un matérialiste – tout comme Aristote a fait descendre les formes platoniciennes du ciel et les a intégrées dans les choses elles-mêmes, Marx a repris la dialectique historique de Hegel et l'a ramenée au monde matériel.

Marx prétend que le conflit entre la haute société et la classe ouvrière a produit un nouveau système économique et une nouvelle classe : la bourgeoisie. Les propriétaires capitalistes exploitent et aliènent le prolétariat (classe ouvrière), provoquant ainsi ce que Marx appelle le conflit de classes final.

Selon Marx, la nature du travail lui-même durant la période industrielle était la source de l'aliénation des travailleurs. Ces derniers n'avaient aucun attachement à leurs produits (contrairement aux fermiers et aux paysans qui créent des liens avec la terre qu'ils travaillent). De plus, les intérêts d'une classe contredisent toujours ceux d'une autre. D'après Marx, l'intensification de la dialectique indiquait que cette lutte était sur le point de se terminer.

Si on considère simplement Marx comme un penseur politique qui a présenté le communisme comme étant « la société idéale », on aura de la difficulté à comprendre sa pensée. Il est vrai qu'il croyait que le communisme, une société sans classes ni propriété privée, formerait une meilleure société. Toutefois, ses revendications étaient beaucoup plus importantes. Marx a prétendu qu'il était historiquement inévitable que le capitalisme s'autodétruise, favorisant ainsi la montée du prolétariat. En outre, de son point de vue dialectique, chaque période de l'Histoire était nécessaire et inévitable, même celle du système capitaliste qui lui répugnait.

Le capitalisme a fourni les moyens et les méthodes pour augmenter et améliorer la production. C'était une étape nécessaire, car son parfait opposé, le communisme, s'élèverait ensuite, et la richesse et les capacités de production seraient également distribuées pour devenir propriété publique. Marx affirme que l'État communiste serait l'opposé de l'État capitaliste, une opposition qui provoquerait la fin de la dialectique historique, une période finale dont les retombées seraient bénéfiques à l'ensemble de l'humanité.

Il faut admettre que nous faisons tous des erreurs. Bien sûr, un siècle après la première publication de l'œuvre de Marx, le capitalisme est bien vivant et bien en selle, et le communisme ne survit que dans de rares États.

Or, pour parler sérieusement, disons qu'on affuble Marx d'une bien mauvaise réputation. Alors que jusqu'ici les philosophes s'inspiraient de la philosophie, de la religion et de la littérature du passé pour comprendre la société, Marx a suggéré que les forces économiques d'échange, de distribution et de consommation constituaient le fondement de l'organisation sociale. Cette affirmation constitue sa plus importante contribution à la pensée philosophique. L'héritage de sa pensée se retrouve partout de nos jours, alors que de nombreux penseurs modernes examinent ces forces pour expliquer le passé et le présent, aussi bien que d'autres structures économiques susceptibles d'améliorer nos vies.

Les philosophes n'ont fait qu'interpréter diversement le monde ; il s'agit maintenant de le transformer.

L'écrivain doit gagner de l'argent pour pouvoir vivre et écrire, mais il ne doit nullement vivre et écrire dans le but de gagner de l'argent.

Les idées dominantes de chaque époque ont toujours été les idées de la classe dirigeante.

Vendez un poisson à un homme, il mangera pendant une journée ; apprenez-lui à pêcher, et vous perdrez une merveilleuse occasion d'affaires.

De chacun selon ses capacités, à chacun selon ses besoins.

Le riche fera tout pour le pauvre, sauf de cesser de l'écraser.

La raison a toujours existé, mais pas toujours sous la forme raisonnable.

La philosophie est au monde ce que l'onanisme est à l'amour sexuel.

La tradition de toutes les générations mortes pèse comme un cauchemar sur le cerveau des vivants.

L'homme agit et vit souvent comme s'il était séparé de son corps, comme s'il voulait l'améliorer de l'extérieur.

La signification de la paix est l'absence d'opposition au socialisme.

Mon objet dans la vie est de détrôner Dieu et de détruire le capitalisme.

L'Histoire ne fait rien ; elle ne possède pas de richesse énorme, elle ne livre pas de combats. C'est au contraire l'homme, l'homme réel et vivant, qui fait tout.

Le capital est argent, le capital est marchandise. En un mot, la valeur semble avoir acquis la propriété occulte d'enfanter de la valeur parce qu'elle est valeur, de faire des petits, ou du moins de pondre des œufs d'or.

L'expérience répute pour le plus heureux celui qui a rendu heureux le plus grand nombre.

Sur terrain plat, de simples buttes font effet de collines ; et la platitude insipide de notre présente bourgeoisie doit être mesurée par l'altitude de ses « grands esprits ».

Les prolétaires n'ont rien à perdre que leurs chaînes. Ils ont un monde à gagner.

Prolétaires de tous les pays, unissez-vous !

L'Histoire se répète deux fois. La première fois comme tragédie, la seconde comme farce.

Qui enseignera aux enseignants ?

La politique de la Russie ne change pas. Ses méthodes, ses tactiques et ses manœuvres peuvent changer, mais l'étoile polaire de sa politique, la domination mondiale, est une étoile fixe.

Le seul antidote à la souffrance mentale est la douleur physique.

L'humanité ne se donne que des tâches qu'elle peut résoudre ; ainsi, en observant le problème de plus près, nous découvrirons que la tâche elle-même ne se présente que lorsque les conditions matérielles pour sa solution existent déjà, ou sont du moins comprises dans le processus de formation.

Les seigneurs, comme tous les autres hommes, adorent moissonner là où ils n'ont jamais semé.

L'écrivain peut très bien être au service d'un mouvement de l'Histoire comme porte-parole, mais il ne peut bien sûr le créer.

Tout homme qui connaît un tant soit peu l'Histoire sait que les grands changements sociaux sont impossibles sans un soulèvement des femmes.

Le progrès social peut se mesurer de façon exacte par la position sociale du beau sexe, ce qui inclut les femmes laides.

La religion… est l'opium des masses.

Si Karl, au lieu d'écrire beaucoup sur le capital, en avait fait beaucoup, ça aurait été bien mieux.

— La mère de Karl Marx

Allez, sortez. Les dernières paroles sont pour les fous qui n'ont pas parlé suffisamment.

— Les adieux de Marx à sa gouvernante

Chapitre quinze

Jean-Jacques Rousseau

(1712-1788)

- Il a soutenu l'idée d'une « volonté générale ».
- Il a été une figure importante de la pensée démocratique.
- Ses idées ont alimenté la Révolution française.

Jean-Jacques Rousseau a eu une grande influence à la fois sur la société et sur la philosophie. D'une certaine façon, ses écrits ont servi de manuel à la Révolution française.

Rousseau est né en 1712, à Genève, en Suisse. Sa mère est décédée en le mettant au monde. Son père, un homme violent et dissipé, ne s'est pas occupé de lui procurer la moindre formation intellectuelle. Il a fini par abandonner le garçon qui a été mis en apprentissage, tant comme artisan en chaudronnerie d'art que comme notaire. En 1728, Rousseau est soumis à une sévère discipline qui le pousse à s'enfuir. Par la suite, sa vie ne fut faite que de changements et de problèmes. Il a embrassé le catholicisme, puis le protestantisme.

Avec le temps, Rousseau a développé un amour tant pour la philosophie que pour la musique. Alors qu'il avait plus de quarante ans, il a participé à un concours proposé par l'Académie de Dijon et reçu le premier prix ; il a même écrit une opérette qui a obtenu du succès. Connu pour son œuvre brillante, tout comme pour sa vanité et son insouciance, Rousseau n'a pas manqué de recevoir de l'attention à partir de cette période. Sa position controversée sur la liberté religieuse, son opposition à l'Église, aussi bien que sa tendance aux relations obsessionnelles, et une profonde paranoïa par rapport à ses amis, l'ont obligé à se déplacer un peu partout en Europe.

Rousseau a vu l'une de ses dernières œuvres être brûlée par le Parlement français ; cet incident a été suivi par un mandat d'arrestation qui l'a forcé à trouver un autre endroit pour vivre, cette fois-ci dans la ville suisse de Berne (alors occupée par la Prusse). Il s'y est appliqué à défendre le principe de la liberté religieuse devant l'Église et les services d'ordre public ; finalement, les paysans locaux et le gouvernement l'ont chassé du pays. David Hume, l'éminent philosophe, lui a offert asile en Angleterre, où il est demeuré jusqu'à ce que sa misanthropie morbide et sa paranoïa le poussent à se quereller avec ses amis ; il est alors retourné en France. Après qu'on lui eut permis de revenir à Paris en 1770, il a écrit et étudié la musique jusqu'à ce qu'il accepte une invitation de se retirer à Ermenonville, où il est mort subitement.

La première grande idée de Rousseau : le contrat social

Comme John Locke, Rousseau voyait l'« état de nature » comme une condition où la vie est généralement assez plaisante. Ses écrits insistent sur l'idée que, durant la période précédant l'ère sociale, les êtres humains étaient « dans un état parfait de liberté ». Cependant, les humains se sont rassemblés pour former des gouvernements, compromettant ainsi leur liberté individuelle afin de répondre aux besoins de la communauté. Comme Locke, Rousseau croit que la propriété privée est l'une des forces motrices derrière le « contrat social ». Il affirme que le rôle du gouvernement devrait être l'exécution de la **volonté** générale.

La seconde grande idée de Rousseau : la volonté générale

Rousseau prétend que l'esclavage ou la conquête militaire n'apportent pas le droit de régner. Il soutient que tous les individus doivent participer volontairement au contrat social, ce qui le conduit à ce qu'il croit être un principe indestructible : la volonté générale.

La volonté générale est la « volonté de tous ». Elle est non seulement la somme des différentes volontés individuelles, mais aussi une volonté que tous partagent pour le bénéfice de chacun. La société est mieux organisée quand chaque individu participe à cette volonté générale.

Bessie et les autres vaches

Toutes les vaches dans la société de Bessie partagent une « volonté » commune, une conscience nationale ou collective. Au bénéfice de toutes les vaches de sa société, Bessie doit abandonner son désir de voter contre la Loi de la « ration d'herbe », une loi qui stipule que, étant donné le manque de pluie, chaque vache ne peut consommer qu'un demi-kilo d'herbe par jour. Bessie est costaude et peut repousser toutes les autres vaches afin de manger autant qu'elle en a envie. Toutefois, elle accepte la volonté générale, car elle sait que la loi sera bénéfique pour la société. Elle doit renoncer à ses désirs individuels et se plier entièrement à la volonté générale.

En s'engageant dans un contrat social, l'individu doit abandonner ses propres intérêts pour le bien de la société, et ce, peu importe les conséquences personnelles de ce comportement. La **volonté générale** ne doit se préoccuper que de l'**intérêt général** de la société.

C'est pourquoi Rousseau n'insiste pas nécessairement sur la démocratie. Pour lui, tout gouvernement qui met à exécution la volonté générale est acceptable. Bien que Rousseau encourage la discussion publique et le débat, il s'inquiète du fait que les intérêts particuliers puissent compromettre la volonté générale. (Ne partageons-nous pas tous cette peur ?) Il croit que la volonté générale est un principe indestructible de la société. D'après lui, chaque nation dispose d'une volonté générale différente, dépendant d'un certain nombre de facteurs, incluant même la température et le climat.

Un honnête homme pense presque toujours avec justesse.

Le plus lent à promettre est toujours le plus fidèle à tenir.

L'instruction des enfants est un métier où il faut savoir perdre du temps pour en gagner.

Le faux est susceptible d'une infinité de combinaisons, mais la vérité n'a qu'une manière d'être.

La vertu est un état de guerre et, pour y vivre, on a toujours quelque combat à rendre contre soi.

À seize ans, l'adolescent sait ce que c'est que souffrir car il a souffert lui-même, mais à peine sait-il que d'autres êtres souffrent aussi.

L'homme est né libre, et partout il est dans les fers.

Les bonnes lois en font faire de meilleures, les mauvaises en amènent de pires.

Un corps débile affaiblit l'âme.

Quiconque rougit est déjà coupable ; la vraie innocence n'a honte de rien.

Tout homme a le droit de risquer sa propre vie pour la préserver.

Les idées générales et abstraites sont les sources des plus grandes erreurs des hommes.

Le bonheur, c'est un bon compte en banque, une bonne cuisinière et une bonne digestion.

Combien de héros glorieux et magnanimes ont vécu trop d'un jour ?

Jamais la nature ne nous trompe ; c'est toujours nous qui nous trompons.

Généralement, les gens qui savent peu parlent beaucoup, et les gens qui savent beaucoup parlent peu.

L'homme qui a le plus vécu n'est pas celui qui a compté le plus d'années, mais celui qui a le plus senti la vie.

Nous naissons faibles, nous avons besoin de force ; nous naissons dépourvus de tout, nous avons besoin d'assistance ; nous naissons stupides, nous avons besoin de jugement. Tout ce que nous n'avons pas à notre naissance, et dont nous avons besoin étant grands, nous est donné par l'éducation.

Quelle sagesse peut-on trouver qui est plus grande que la bonté ?

La patrie ne peut subsister sans la liberté, ni la liberté sans la vertu.

Voyez un chat entrer pour la première fois dans une chambre ; il visite, il regarde, il flaire, il ne reste pas un moment en repos, il ne se fie à rien qu'après avoir tout examiné, tout connu.

Peuples libres, souvenez-vous de cette maxime : on peut acquérir la liberté, mais on ne la recouvre jamais.

CHAPITRE SEIZE

Arthur Schopenhauer

(1788-1860)

- Il a soutenu que la « volonté » était le principe de toute vie.
- Il voyait la vie de manière pessimiste.
- Il a tenté de faire un lien entre le monde de l'expérience et celui de la Nature.

Arthur Schopenhauer était aussi brillant que pessimiste. Ses idées peuvent ne pas vous rendre fier d'être humain, mais elles sont fascinantes et ont inspiré plusieurs générations futures de penseurs, particulièrement Nietzsche.

Le père de Schopenhauer était un riche marchand qui habitait la ville de Danzig, et sa mère, une romancière populaire. Schopenhauer n'aimait pas les activités commerciales et il s'est tourné vers l'étude de la philosophie. Voyageur avide, il a visité la plupart des pays d'Europe de l'Ouest. Il a étudié la philosophie, les sciences naturelles et la littérature sanscrite à l'université de Berlin, où il est devenu professeur. Il n'aimait pas l'hégélianisme à la mode à cette époque, et il a trouvé son inspiration chez Platon et Kant. Il a mis du temps à devenir célèbre, et il a passé ses dernières années à penser et à écrire à Francfort-sur-le-Main. Il est décédé en 1860.

La première grande idée de Schopenhauer : affirmez votre volonté

D'après Schopenhauer, Kant avait raison quand il affirmait que les formes de l'esprit (l'espace et le temps) conditionnent le monde de l'expérience. Kant avait maintenu qu'il nous était impossible de parvenir à une connaissance certaine des « choses en elles-mêmes » en dehors de notre connaissance personnelle de ces choses. Schopenhauer a cherché à combler le vide laissé par la distinction de Kant entre le phénomène (la matière de l'expérience) et le noumène (les choses en elles-mêmes).

D'après Schopenhauer, le principe absolu du monde est la volonté. Cette volonté n'a pas d'espace, pas de temps et aucune cause. Dans les formes inférieures de la vie, il s'agit simplement de la volonté aveugle de l'instinct de conservation. Cependant, pour les humains, la volonté cherche à atteindre la conscience. Une fois qu'elle a atteint la conscience du cerveau humain, le monde devient une idée ou une représentation. Cette dernière constitue notre expérience de ce monde, dans lequel tout est reconnu comme étant la volonté. La volonté est « la chose en elle-même » – tant la représentation du monde que sa réalité.

La volonté est le principe fondamental du monde extérieur, et nous, comme corps, en faisons partie. Notre nature essentielle est celle de la volonté, et nos corps, comme le monde extérieur dans son ensemble, ne sont que des expressions de ce principe universel de la vie. La volonté est partout et tout est guidé par elle. Elle s'exprime comme une aspiration et un grand besoin de l'humanité, et elle constitue même le principe de notre perception ; nous percevons ce que nous voulons percevoir. En d'autres mots, le principe essentiel de l'Univers n'est pas une substance comme l'eau (l'idée de Thalès). Plus exactement, le principe de la volonté « mondiale », qui déplace la nature à travers des opérations purement physiques, devient, chez l'homme, une conscience qui s'exprime comme « inspiration » ou besoin, et comme un instinct de conservation.

Bessie est moi. Je suis Bessie

Bessie la vache est la volonté tout comme je suis la volonté. Or, chez elle, ce principe s'exprime aveuglément dans un instinct de conservation, alors que chez moi il devient conscience. Cependant, ma nature est essentiellement la même que la sienne ; nous faisons tous les deux partie du principe universel de la vie. Nous faisons tous deux partie de la volonté.

La seconde grande idée de Schopenhauer : l'éthique de Schopenhauer

La volonté est la volonté de vivre, la volonté d'être et, par conséquent, la cause de toutes les souffrances dans le monde. D'après Schopenhauer, l'homme est poussé par sa volonté vers les intrigues, l'égoïsme et l'avidité. Il croit que la vie est essentiellement composée du mal. Le paradoxe de l'existence veut que le principe essentiel soit la volonté de vivre, un principe absolument vaincu par la mort. Schopenhauer (un type joyeux, comme vous pouvez déjà le constater) donne beaucoup d'importance à la mort. La mort finira par tout vaincre. Ce monde est le pire de tous les mondes, car pour l'individu le seul principe de l'existence (la volonté) est inévitablement défait par la mort.

La vie étant essentiellement vile et égoïste, un acte sera moral s'il n'est pas fondé sur un principe bizarre ou une idée abstraite de justice – il sera posé par sympathie. Un acte moral est toujours désintéressé.

Bessie rencontre Schopenhauer II

Tuer Bessie pour une distraction sportive est un acte mauvais, car il s'agit d'une action égoïste qui ne satisfait que mon désir de plaisir. Ce type de raisonnement moral ressemble beaucoup aux enseignements religieux orientaux du bouddhisme et du taoïsme. Après tout, Schopenhauer a étudié la littérature sanscrite et les religions orientales, et ce type de vision morale ressemble aux principes de ces traditions.

Bien que vous et moi puissions trouver que Schopenhauer avait des idées déprimantes, son impact sur les futurs penseurs, particulièrement Nietzsche, a été énorme. Il a soutenu le principe universel de la volonté pour découvrir « les choses en elles-mêmes » hors de l'expérience, et il a inspiré les générations subséquentes de philosophes.

Vaincre les difficultés, c'est expérimenter tout le plaisir de l'existence.

Vous marier, c'est diminuer de moitié vos droits et doubler vos devoirs.

La plus grande des folies est de sacrifier sa santé à tout autre genre de bonheur.

Toute vérité franchit trois étapes. – D'abord, elle est ridiculisée. – Ensuite, elle subit une forte opposition. – Puis, elle est considérée comme ayant toujours été une évidence.

La célébrité est quelque chose que l'on doit gagner. L'honneur est quelque chose que l'on ne doit pas perdre.

C'est dans les petites choses et quand il est sans défense qu'un homme révèle le mieux son caractère.

Acheter des livres serait une bonne chose si l'on pouvait simultanément acheter le temps de les lire. Mais de façon générale on confond l'achat d'un livre avec l'appropriation de son contenu

La religion est le chef-d'œuvre de l'art du dressage des animaux, parce qu'elle entraîne les gens quant à ce qu'ils doivent penser.

Chaque homme prend les limites de son propre champ de vision pour les limites du monde.

La compassion est la base de toute moralité.

Le bruit est la plus importante des formes d'interruption. C'est non seulement une interruption, mais aussi une rupture de la pensée.

La mémoire devrait particulièrement être mise à l'épreuve pendant la jeunesse, car c'est à ce moment qu'elle est la plus forte et la plus tenace. Cependant, en choisissant ce qui sera mémorisé, on doit être le plus méticuleux et le plus prudent possible, étant donné que l'on n'oublie jamais les leçons apprises pendant la jeunesse.

Nous nous privons des trois quarts de nous-mêmes pour ressembler aux autres.

Chaque nation ridiculise les autres nations – et elles ont toutes raison.

Si nous n'étions pas si intéressés en nous-mêmes, la vie serait si peu intéressante que nous ne pourrions pas la supporter.

Les dernières années de la vie ressemblent à la fin d'une fête de mascarade, au moment même où les masques tombent.

Un homme peut faire ce qu'il veut, mais ne peut pas vouloir ce qu'il veut.

Si vous voulez connaître votre véritable opinion de quelqu'un, observez comment vous vous sentez la première fois que vous apercevez une lettre qu'il vous a envoyée.

Le talent frappe une cible que personne d'autre ne peut atteindre ; le génie frappe une cible que personne d'autre ne peut voir. Pour les gens qui n'ont que de modestes talents, la modestie n'est simplement qu'honnêteté ; or, pour ceux qui sont dotés de talents exceptionnels, c'est de l'hypocrisie.

CHAPITRE DIX-SEPT

John Stuart Mill

(1806-1873)

- Il est l'« utilitariste » le plus célèbre et le plus influent.
- Il a été un grand défenseur du changement social et des droits des femmes.
- Il a soutenu l'importance de la liberté individuelle et du droit de parole.

Le dix-neuvième siècle nous a donné plusieurs penseurs politiques importants, en même temps qu'une réforme politique qui devenait nécessaire. En cela, cette période ressemble beaucoup aux années 1960, sauf que les vêtements populaires de l'époque étaient infiniment plus attrayants. John Stuart Mill appartenait à ce siècle et a suivi les traces d'autres penseurs anglais, comme John Locke. Mill a exercé une profonde influence sur les conceptions modernes d'« individualisme » et de « liberté ».

Né à Londres, John Stuart Mill était le fils de James et Harriet Mill. Son père, un homme très autoritaire, l'avait astreint à un programme impitoyable de philosophie. À dix ans, Mill avait appris le latin et le grec, et il avait rédigé des synthèses des théories de Platon. Même si cette éducation rigoureuse a certainement profité à son développement intellectuel, ce n'était peut-être pas la meilleure façon de devenir adulte. Entre cette éducation intense et son père insensible, Mill a conclu tard dans sa vie « qu'il n'avait jamais eu d'enfance ».

À dix-sept ans, il s'était taillé une réputation de penseur politique actif, publiant des articles et d'autres textes du genre. Il prenait la défense de la réforme sociale fondée sur la perspective utilitariste que son père lui avait fait connaître. Or, à vingt ans, Mill a fait une dépression nerveuse qui s'est avérée être très grave. Il a confié qu'il n'avait « jamais appris à ressentir ». Pour réveiller sa sensibilité, il s'est tourné vers la lecture de la poésie. En 1831, il a finalement rencontré Harriet Taylor dont il est tombé amoureux. Cette dernière a exercé une grande influence sur le philosophe en contribuant surtout au développement de sa conception du féminisme libéral. Ils vécurent heureux en France, où Mill est décédé en 1873.

Même si Mill n'est pas le père de l'utilitarisme, il est certaine-ment le plus célèbre de ses défenseurs. Il a accepté l'idée de l'utili-tarisme, mais il a soutenu l'importance d'une compréhension plus qualitative, non simplement quantitative, de celle-ci. Alors, qu'est-ce que l'utilitarisme ?

La grande idée de Mill : l'utilitarisme

Suivant les traces de Hume et de Locke, Mill a accepté leur concep-tion empiriste de la connaissance. Il s'ensuit que la théorie morale ne peut se fonder sur des notions abstraites comme le « devoir » ou la « conscience », comme l'avait affirmé Kant – il faudrait plutôt se baser sur la maximisation du plaisir et la minimisation de la douleur, c'est-à-dire la promotion du bonheur. Comme le bonheur est le but du comportement humain, l'utilitarisme laisse entendre que les lois et les actions sont « bonnes » si elles procurent « le plus grand bonheur au plus grand nombre ». Les actions sont « bonnes » ou « mauvaises », selon leur degré d'« utilité » dans la poursuite du bonheur. « Utile » égale « utilité » égale « utilitarisme ».

Bien plus que de se porter à la défense de la morale utilitariste et de la modifier, Mill soutient fortement que les droits individuels absolus sont importants et qu'ils doivent être protégés par l'État. Par exemple, on ne devrait jamais réduire au silence l'individu qui exerce son droit de parole, et ce, *peu importe qu'un million de personnes soient heureuses de le faire taire*. Plus que tout autre philosophe avant lui, Mill a cherché à protéger les droits individuels.

Bessie devient utilitariste

Bessie et ses amies vaches décident de passer une loi les empêchant de se marcher sur les sabots. Alors que cette loi n'a rien « d'intrinsèquement bon », elle est utile en ce qu'elle maximise la capacité de toutes les vaches de brouter en sécurité sans se faire interrompre ou se faire déplacer de leur espace privé.

Alors que Mill est d'accord avec cette méthode de base qui détermine les « bonnes » actions, il met beaucoup plus l'accent sur les concepts de droits et libertés individuels que ses prédécesseurs adeptes de l'utilitarisme ne l'avaient fait. De plus, il insiste sur la qualité du plaisir et de la douleur comme norme évaluative.

Par exemple, tandis que Bessie peut trouver beaucoup de bonheur ou de plaisir à brouter de l'herbe toute la journée, la qualité de ce plaisir et de cette expérience est discutable. « Il est préférable d'être un être humain insatisfait qu'un porc satisfait », selon la fameuse remarque de Mill. D'après lui, on doit tenir compte non seulement de la quantité du plaisir, mais aussi de sa qualité.

La personne qui entretient une seule croyance en vaut quatre-vingt-dix-neuf qui n'ont que des intérêts.

La chevalerie, il est vrai, resta misérablement bien loin de son type idéal, plus encore que la pratique ne reste d'ordinaire en arrière de la théorie ; c'est pourtant un des monuments les plus précieux de l'histoire morale de notre race, c'est un exemple remarquable d'une tentative organisée et concertée par une société en désordre pour proclamer et mettre en pratique un idéal moral bien au-dessus de sa condition sociale et de ses institutions ; voilà ce qui l'a fait échouer dans son principal objet, et pourtant elle n'a pas été entièrement stérile, et elle a laissé une empreinte très sensible et extrêmement précieuse sur les idées et les sentiments de tous les temps qui ont suivi.

Ceux qui savent profiter des occasions découvriront souvent qu'ils ont le pouvoir de les créer, et que ce que nous sommes en mesure de réussir dépend moins de la quantité de temps dont nous disposons que de l'usage que nous faisons de ce temps.

Mais ce qu'il y a de particulièrement néfaste à imposer silence à l'expression d'une opinion, c'est que cela revient à voler l'humanité : tant la pos-

térité que la génération présente, les détracteurs de cette opinion davantage encore que ses détenteurs. Si l'opinion est juste, on les prive de l'occasion d'échanger l'erreur pour la vérité ; si elle est fausse, ils perdent un bénéfice presque aussi considérable : une perception plus claire et une impression plus vive de la vérité que produit sa confrontation avec l'erreur.

Il n'y a pas d'arguments plus puissants pour interdire ce qu'on considère comme une immoralité personnelle que supprimer ces pratiques telles qu'elles apparaissent aux yeux de ceux qui les jugent impies ; et à moins de vouloir adopter la logique des persécuteurs, et dire que nous pouvons persécuter les autres parce que nous avons raison, et qu'ils ne doivent pas nous persécuter parce qu'ils ont tort, il faut bien nous garder d'admettre un principe qui, imposé chez nous, nous paraîtrait une injustice flagrante.

Un homme qui ne se soucie que de sa sécurité est une créature misérable qui n'a aucune chance d'être libre, à moins que sa liberté ne soit acquise ou protégée par l'effort d'un homme meilleur que lui.

La vérité profite encore plus des erreurs de celui qui, ayant beaucoup étudié et s'étant bien préparé, pense par lui-même, que des opinions réelles de ceux qui les ont acquises seulement parce qu'ils ne supportent pas d'avoir à réfléchir.

Il est impossible d'être un grand penseur sans reconnaître que son premier devoir est de suivre son intelligence, quelle que soit la conclusion à laquelle elle peut mener.

Demandez-vous si vous êtes heureux, et vous cesserez de l'être.

Celui qui laisse le monde, ou du moins son entourage, tracer pour lui le plan de sa vie n'a besoin que de la faculté d'imitation des singes. Celui qui choisit lui-même sa façon de vivre utilise toutes ses facultés : l'observation pour voir, le raisonnement et le jugement pour prévoir, l'activité pour recueillir les matériaux en vue d'une décision, le discernement pour décider et, quand il a décidé, la fermeté et la maîtrise de soi pour s'en tenir à sa décision délibérée.

La seule liberté digne de ce nom est de travailler à notre propre avancement à notre gré, aussi longtemps que nous ne cherchons pas à priver les autres du leur ou à entraver leurs efforts pour l'obtenir. Chacun est le gardien naturel de sa propre santé aussi bien physique que mentale et spirituelle. L'humanité gagnera davantage à laisser chaque homme vivre comme bon lui semble qu'à le contraindre à vivre comme bon semble aux autres.

La tendance générale dans le monde est d'accorder la place dominante à la médiocrité.

Un parti d'ordre ou de stabilité et un parti de progrès ou de réforme sont les deux éléments nécessaires d'une vie politique florissante.

Que si peu de gens osent maintenant être excentriques, voilà qui révèle le principal danger de notre époque.

Celui qui ne connaît que ses propres arguments connaît mal sa cause.

Un enfant à qui on ne demande jamais ce qu'il ne peut pas faire ne saura jamais ce qu'il peut faire.

Il existe de nombreuses vérités dont on ne peut réaliser la véritable signification tant que l'expérience personnelle ne les ait fait émerger.

Mais assurément, cette affirmation selon laquelle la vérité triomphe toujours de la persécution est un de ces mensonges que les hommes se plaisent à se transmettre – mais que réfute toute expérience – jusqu'à ce qu'ils deviennent des lieux communs.

Si tous les hommes moins un partageaient la même opinion, ils n'en auraient pas pour autant le droit d'imposer silence à cette personne, pas plus que celle-ci d'imposer silence aux hommes si elle en avait le pouvoir.

La guerre est une chose laide, mais pas la plus laide : la décadence et la dégradation de la morale et du sentiment patriotique au point de penser que rien ne vaut une guerre sont pires.

À moins que sa liberté ne soit acquise ou protégée par les efforts d'hommes meilleurs que lui, celui qui n'a rien pour lequel il est prêt à se battre, et qui ne se soucie que de sa propre sécurité, est une créature misérable qui n'a aucune chance d'être libre.

Une personne peut nuire aux autres non seulement par ses actions, mais aussi par son inaction et, dans les deux cas, elle est responsable envers eux du dommage causé.

La seule raison légitime que puisse avoir une communauté pour user de la force contre un de ses membres est de l'empêcher de nuire aux autres. Contraindre quiconque pour son propre bien, physique ou moral, ne constitue pas une justification suffisante.

Aussi longtemps que la justice et l'injustice n'auront pas terminé leur incessant combat pour dominer les affaires de l'humanité, les êtres humains devront choisir, si besoin est, de combattre pour l'un des deux camps.

Aucun esclave n'est esclave au même degré et, dans le plein sens du mot, que ne l'est l'épouse.

Le mariage est la seule servitude réelle reconnue par nos lois. Il n'y a plus d'esclaves de par la loi que la maîtresse de chaque maison.

Les conservateurs ne sont pas forcément stupides, mais la plupart des gens stupides sont conservateurs.

CHAPITRE DIX-HUIT

Søren Kierkegaard

(1813-1855)

- Il est le père de « l'existentialisme ».
- Il a mis l'accent sur les aspects de la vie individuelle.
- Il a défendu l'idée d'un « acte de foi » pour enlever l'anxiété de la liberté humaine.

L'œuvre de Søren Kierkegaard exprime l'anxiété de l'individu moderne qui essaie de trouver un sens à la vie. Kierkegaard est à la philosophie ce que Woody Allen est au cinéma. Or, au fond, il n'est vraiment pas aussi drôle.

Kierkegaard est né à Copenhague, au Danemark. Comme Mill, il a reçu une formation philosophique rigoureuse en étudiant à la maison. Contrairement au père de Mill, celui de Kierkegaard était profondément religieux, émotif, et probablement perturbé. Marchand prospère, il n'en croyait pas moins que Dieu leur avait jeté un sort, à lui et à sa famille, et qu'Il les avait condamnés à souffrir.

Alors qu'il étudiait la théologie à l'université de Copenhague, Kierkegaard s'est fortement opposé à la philosophie de Hegel, qui était en vogue à cette époque. Il croyait qu'elle manquait d'individualisme et que sa nature systématique n'enseignait pas à un individu comment vivre ou comment agir.

Ce n'était pas que Kierkegaard ignorait comment vivre ou comment agir lui-même. On l'aimait beaucoup pour son intelligence, son charme et sa nature affable – mais quand ce papillon social était seul, il était souvent gravement déprimé. Cherchant une signification à sa vie, Kierkegaard est devenu pasteur luthérien et s'est marié, mais cela ne l'a pas satisfait. Il a perdu son intérêt à la fois pour le mariage et pour la religion organisée. Il a obtenu le divorce et passé le reste de sa courte vie à publier des textes sous différents pseudonymes. Demeuré inconnu, Kierkegaard s'est un jour effondré dans la rue et est décédé en 1855. Il a fallu plusieurs décennies pour que ses œuvres soient lues et appréciées – et qu'il soit reconnu comme le « père » de l'existentialisme.

La première grande idée de Kierkegaard : l'existentialisme

Kierkegaard affirme qu'il n'existe aucun objectif inhérent à l'Univers qui puisse être compris ou prouvé par une explication rationnelle. Selon lui, contrairement à ce que croyait Hegel ou Aristote, le monde et tout ce qui y vit n'ont aucun objectif en tant que tel. De plus, on ne peut prouver l'existence de Dieu de façon rationnelle. Aucune de ces choses ne peut être prouvée. L'Univers est inexplicable. Plus encore, une philosophie comme celle d'Hegel, qui traite de ces questions métaphysiques, ne peut servir de guide pour la vie. Une chose que la philosophie peut expliquer, d'après Kierkegaard, c'est que nous sommes des individus isolés et que nous possédons la capacité de *choisir* une chose par rapport à une autre. Le caractère unique de l'expérience humaine, c'est que chacun de nous est une créature isolée et que son libre arbitre lui permet d'effectuer des *choix*.

Cette liberté de choisir crée de l'anxiété en nous, nous donnant une impression d'isolement. Ainsi, Kierkegaard suggère que chacun de nous fasse un « acte de foi ». Il s'agit littéralement de décider que la vie est importante, et ce, même si nous sommes incapables de le prouver. Kierkegaard fait cette affirmation indépendamment du fait qu'il reconnaisse l'impossibilité de « prouver rationnellement » l'existence de Dieu.

L'existentialisme de Kierkegaard met l'accent sur ce que signifie être un individu et sur la façon de mener une vie épanouissante. Le philosophe déprécie la « vérité objective », affirmant que la « vérité subjective » est celle qui compte. Son argument principal est celui-ci : **ce que nous croyons n'est pas aussi important que la manière avec laquelle nous y croyons**. C'est le cœur de l'existentialisme.

La seconde grande idée de Kierkegaard : les trois stades de la vie

La philosophie de Kierkegaard est fondée sur l'actualisation individuelle et l'épanouissement personnel. Il y a trois différents stades d'actualisation personnelle.

1. Le stade esthétique : Ce stade de la vie est centré autour du désir hédoniste pour les plaisirs et la gratification instantanée. Pendant ce stade, vous ne vivez que pour l'instant présent, et vous limitez ainsi la vision et la signification de votre existence. Le résultat : une vie d'ennui et un évitement de décisions véritables. Or, comme le dit Woody Allen, « Le sexe sans amour est une expérience vide. Oui mais, parmi les expériences vides, c'est une des meilleures ! »

2. Le stade éthique : Ce stade est caractérisé comme l'étape dans laquelle vous vous engagez à suivre des principes universels et des standards moraux pour guider votre comportement – et bravo ! Votre vie acquiert alors plus de perspective et devient plus significative. Or, ce n'est pas suffisant pour réaliser l'accomplissement personnel.

3. Le stade religieux : C'est l'étape finale de l'accomplissement personnel. Vous abandonnez les principes « éthiques » pour vous consacrer passionnément et complètement à Dieu. Ce n'est que dans ce stade de rêverie passionnée que vous vous libérez relativement bien des anxiétés de l'existence humaine.

Même s'il n'a pas été reconnu à sa propre époque, Kierkegaard a produit un énorme impact sur la philosophie, alimentant tout un genre de pensée religieuse appelé « existentialisme ». S'il est vrai que *ce que* nous croyons n'est pas important, pourvu que nous croyions en *quelque chose* qui rende la vie plus significative, peut-être que je devrais cesser de dire à mon grand-père sénile qu'il a tort de croire que l'élevage d'excellents pigeons voyageurs est le plus grand bien que l'homme puisse atteindre.

Bessie devient morale

Johnny le fermier adore Bessie la vache, non de façon illicite, mais elle est sa vache préférée sur la ferme. Dieu parle à Johnny et lui ordonne de décapiter Bessie. Même si Dieu est omniscient et omnipotent, Johnny hésite car il a une propension vers l'éthique. Cependant, il ne fait pas la chose éthique ; sa foi en Dieu et en la vision morale divine l'oblige à se préparer à tuer Bessie. Comme dans le récit biblique d'Abraham et d'Isaac, Johnny a prouvé sa foi et Dieu permet alors à Bessie de vivre. Quel est l'argument ? Par sa rêverie passionnée, sa confiance et sa foi en Dieu, Johnny « suspend son inclinaison éthique ». Cette suspension constitue l'apogée de la réalisation personnelle et le plus haut niveau de signification que l'humain peut réaliser.

Les gens exigent la liberté d'expression pour compenser la liberté de pensée qu'ils préfèrent éviter.

L'oisiveté est loin d'être la racine de tout mal ; elle est plutôt le seul véritable bien.

La plupart des gens sont subjectifs envers eux-mêmes et objectifs envers les autres – terriblement objectifs parfois –, sauf qu'il faut essayer d'être objectif envers soi-même et subjectif envers les autres.

On ne peut comprendre la vie qu'en regardant en arrière ; on ne peut la vivre qu'en regardant en avant.

La plupart des gens cherchent le plaisir avec une hâte tellement fébrile qu'ils le dépassent carrément.

Le paradoxe de la vérité chrétienne est invariable, compte tenu du fait que c'est la vérité qui existe pour Dieu. Les normes de mesure et la finalité sont surhumaines ; et il n'y a qu'un seul lien possible : la foi.

Il y a des hommes qui sont ouverts à la comparaison ; ce sont en général les plus intéressants.

Il faut un courage moral pour faire un deuil ; il faut un courage religieux pour se réjouir.

La seule chose dont je suis certain, c'est que Dieu est amour. Même si je l'ai mal compris, Dieu n'en est pas moins amour.

Le génie, comme l'orage, va contre le vent.

Un poète est une personne malheureuse qui dissimule une profonde angoisse dans son cœur, mais dont les lèvres sont ainsi formées que lorsque les soupirs et les cris les franchissent, ils résonnent comme une merveilleuse musique.

Si un homme ne peut oublier, il ne fera jamais grand-chose.

La vie n'est pas un problème à résoudre mais une réalité dont il faut faire l'expérience.

Je suis tellement stupide que je ne peux comprendre la philosophie ; l'antithèse de ceci, c'est que la philosophie est si intelligente qu'elle ne peut comprendre ma stupidité. Ces antithèses se mêlent en une entité supérieure : notre stupidité commune.

En plus de mes nombreuses connaissances, j'ai un confident plus intime. Ma dépression est la maîtresse la plus fidèle que j'ai connue – il n'est pas surprenant alors que je lui rende son amour.

La prière ne change pas Dieu, mais elle change celui qui prie.

La vie a ses propres forces cachées, que nous ne pouvons découvrir qu'en vivant.

CHAPITRE DIX-NEUF

Friedrich Nietzsche

(1844-1900)

- Il a déclaré que « Dieu est mort ».
- Il a cherché à transformer les valeurs humaines.
- Il a défendu l'idée de la « volonté de puissance ».

Friedrich Nietzsche est l'un des philosophes les plus lus et les plus aimés. Son style poétique captive ses lecteurs autant qu'il les éduque.

Nietzsche est né à Roecken, en Prusse. Il n'avait que cinq ans lorsque son père, un ministre luthérien, est décédé. À partir de ce moment, dans la maison où il a été élevé, il n'y avait que des femmes. Finalement, Nietzsche a été placé au fameux pensionnat de

Pforta, où il a très bien réussi malgré les horribles migraines et les nausées qui le tourmentaient alors, et qui l'ont poursuivi tout au long de sa vie. À l'université de Bonn, il a étudié la philologie classique (la linguistique) et la théologie. Durant la première année, il a perdu sa foi religieuse de même que son intérêt pour la théologie. Il s'est par la suite rendu à l'université de Leipzig pour continuer ses études en philologie. À la suite de ses travaux à cette université, il a été recommandé pour une poste de professeur à l'université de Bâle, à l'âge remarquable de 25 ans.

Nietzsche a rédigé sa philosophie pendant qu'il enseignait à l'université, jusqu'à ce que sa santé, qui se détériorait, l'oblige à abandonner son poste en 1879. Il a passé la décennie suivante à voyager dans différents endroits à la recherche d'un climat favorable. Or, ces années de voyage et de maladie ont été les plus productives de sa vie de philosophe. En 1888, Nietzsche a commencé à montrer des signes de folie et, en 1889, il s'est effondré à Turin, en Italie.

En raison de la nature aphoristique de ses écrits philosophiques, son œuvre a donné lieu à de nombreuses interprétations et a été plutôt mal comprise. Une partie de cette incompréhension fut causée par sa sœur, une enthousiaste farouche de l'antisémitisme et une partisane nazie, qui a publié une version subjective des œuvres de son frère après qu'il fut décédé. Nietzsche lui-même avait coupé les liens avec les individus qui faisaient preuve d'antisémitisme, dont le plus célèbre a été son ami, le compositeur Richard Wagner.

La première grande idée de Nietzsche : l'esclave et la morale noble

Nietzsche avait entre autres comme objectif de retracer l'historique de ce qu'il nomme « la moralité de l'esclave ». Autrefois, les Grecs anciens considéraient qu'une action était « bonne » si elle était noble, puissante, magnifique, ou basée sur d'excellentes normes. Le « mauvais » était le contraire du « bien ». Une mauvaise action était basse, sans grandeur. D'après Nietzsche, il s'agissait de valeurs positives qui constituaient des normes valables.

Or, toute cette perception s'est transformée avec les Juifs, puis avec les chrétiens. En cherchant des valeurs qu'ils pouvaient déterminer eux-mêmes, et qui seraient impossibles à nier, c'est-à-dire en les attribuant à un Dieu à l'extérieur d'eux-mêmes, ils ont commencé à identifier le « bien » à des idées comme la pitié et l'humilité. Ces dernières valeurs étaient nées du ressentiment envers le puissant et le noble. Ce ressentiment visait essentiellement l'humanité et toutes ses capacités. Fondamentalement négatives, ces notions ont fait en sorte que le « mal » est devenu non pas l'opposé d'un idéal, mais une idée de péché, d'impureté qui s'oppose à Dieu. L'histoire du développement de la moralité de Nietzsche était axée sur l'ensor-cellement et le châtiment, alors qu'on se servait de la « morale des esclaves » comme d'une vengeance spirituelle.

Comme vous l'avez deviné, Nietzsche demandait une « transfor-mation des valeurs », les valeurs devant être fondées sur les concepts d'une « morale noble ». La première étape de ce processus consiste à annoncer la « mort de Dieu » pour nous libérer de cette « morale d'esclave » qui dépend de Lui. Si vous êtes le génie qui peut réaliser cette « transformation des valeurs », vous deviendrez le « surhomme » (Übermensch). Vous conduirez les êtres humains vers une vie sans ressentiment. Vous serez l'antithèse de Dieu, trans-cendant votre forme humaine et menant les êtres humains au-delà du bien et du mal en exerçant votre « volonté de puissance ».

La seconde grande idée de Nietzsche : la volonté de puissance

D'après Nietzsche, chaque relation humaine constitue une lutte de pouvoir. Par exemple, les deux codes moraux (celui des esclaves et celui des nobles) ont été créés pour exercer un pouvoir sur les autres. Par conséquent, tout comportement humain résulte de la « volonté de puissance ». Alors que le héros de la mythologie ancienne affir-mait sa « morale de maître » en agissant directement sur l'opposant plus faible, la « morale d'esclave » des judéo-chrétiens faisait valoir de fortes idées de revanche, de pitié et de souffrance éternelle.

Nietzsche a suggéré que nous mettions moins l'accent sur notre désir de vaincre les autres, et plus sur notre besoin individuel de vaincre notre instinct animal et de nous réinventer nous-mêmes. Il s'agit d'un processus de réalisation de soi qui vise à obtenir un pouvoir personnel et à façonner nos passions, nos impulsions et notre caractère.

En raison de cet étrange discours sur la « volonté de puissance », ainsi que de la publication par sa sœur d'un texte à saveur antisémite, Nietzsche est devenu le champion des nazis. Or, il prenait plutôt la défense de l'individu avant toute chose, et il se souciait d'abord de l'épanouissement de l'existence individuelle. C'est en ce sens qu'il est devenu une véritable inspiration pour les nombreux écrivains existentialistes du vingtième siècle.

Sacrés nazis, ils ont essayé cette « volonté de puissance » et tout ruiné !

La volonté de pouvoir de Bessie

Par exemple, Nietzsche parle souvent de la « mentalité grégaire ». Si Bessie veut atteindre une forme de réalisation personnelle quelconque, elle doit s'éloigner du troupeau et ignorer les enseignements moraux qui ont contaminé les vaches. Détache-toi du peloton, Bessie, et crée ton identité. C'est à toi, ma fille, de décider si tu seras une vache faible ou une vache forte. Exerce-toi à la *volonté de puissance* de l'intérieur.

Si nous aimons la vie, ce n'est pas par habitude de vivre, mais par habitude d'aimer.

Les gens qui nous ont accordé toute leur confiance croient qu'ils ont droit à la nôtre. L'inférence est fausse, un cadeau ne confère aucun droit.

Peut-être la sagesse n'apparaît-elle sur terre que sous la forme d'un corbeau qu'excite un discret relent de charogne ?

On ne reste parfois fidèle à une cause que parce que ses adversaires ne cessent d'être insipides.

Des femmes peuvent très bien lier amitié avec un homme, mais pour la maintenir il y faut peut-être le concours d'une petite antipathie physique.

Celui qui lutte contre les monstres doit prendre garde à ne pas devenir un monstre lui-même. Et si vous fixez trop longtemps un abîme, l'abîme regardera aussi en vous.

Parler beaucoup de soi est un moyen de se dissimuler.

Il n'y a pas de faits, il n'y a que des interprétations.

On contredit souvent une opinion alors que ce qui nous est désagréable est en réalité le ton sur lequel on l'a exprimée.

L'amour de la famille est compliqué, envahissant et empreint d'un motif ennuyeux et répétitif comme celui d'un papier peint de mauvais goût.

Sans musique, la vie serait une erreur.

La résolution chrétienne de trouver le monde laid et mauvais a rendu le monde laid et mauvais.

Il m'est déjà assez difficile de me rappeler mes opinions, sans aussi devoir me rappeler les raisons qui les justifient !

On n'escalade jamais en vain les montagnes de la vérité. Soit que vous atteignez un point plus élevé aujourd'hui, soit vous vous entraînez pour être capable de monter plus haut demain.

Toute extension de la connaissance consiste à transformer le conscient en inconscient.

La folie est rare chez les individus ; dans les groupes, les partis, les nations, elle est de règle à certaines époques.

La sagesse fixe des limites même à la connaissance.

Ce qui ne me détruit pas me rend plus fort.

L'homme est le plus cruel de tous les animaux.

On commence à deviner ce que vaut quelqu'un quand son talent faiblit, quand il cesse de montrer ce qu'il peut.

En temps de paix, l'homme belliqueux s'en prend à lui-même.

Oublier son but est la forme la plus commune de stupidité.

Le misérable n'a d'autre remède que l'espoir.

Celui qui agit apprend.

La foi, c'est refuser de découvrir la vérité.

Le meilleur ami est susceptible d'acquérir la meilleure épouse, parce qu'un bon mariage est basé sur le talent pour l'amitié.

Le succès a toujours été le plus grand des menteurs.

On devrait mourir fièrement quand il n'est plus possible de vivre fièrement.

Ce n'est pas par la colère, c'est par le rire que l'on tue.

CHAPITRE VINGT

John Dewey

(1859-1952)

- Il est considéré comme le plus brillant défenseur du pragmatisme.
- Il a défendu la philosophie de l'instrumentalisme.
- Sa conception « démocratique » de l'éducation a révolutionné le système d'enseignement public.

Au dix-neuvième siècle, une tradition philosophique très influente et très importante, appelée pragmatisme, s'est développée aux États-Unis. Même si Dewey n'en est pas l'initiateur, il est au pragmatisme ce que John Stuart Mill est à l'utilitarisme, soit son défenseur le plus influent et le plus brillant.

John Dewey est né à Burlington, au Vermont. Il descendait d'une longue lignée de fermiers ayant habité cet État, et aucun des Dewey n'avait fait d'études collégiales. Son père menait une vie simple et heureuse, mais la mère de Dewey a essayé d'encourager la curiosité intellectuelle et le sentiment religieux chez son jeune fils. John est entré à l'université du Vermont en 1875 ; il y a étudié surtout les sciences naturelles et la philosophie. Après ses études universitaires, il a enseigné dans les écoles secondaires, en même temps qu'il écrivait plusieurs importants articles philosophiques. Puis il est retourné aux études et a obtenu un doctorat de l'université Johns Hopkins.

Comme philosophe très célèbre, il a écrit sur plus de sujets qu'on ne peut en compter, notamment sur la démocratie, l'éducation et la culture. Sa popularité explique le nombre d'écoles américaines qui portent son nom.

Tout en enseignant à l'université Columbia de 1904 à 1930, John Dewey a continué à écrire et à influencer les institutions sociales de son époque. Même s'il était célèbre et largement respecté, il a maintenu les traditions liées à une vie simple que valorisait son père. Il a pris sa retraite à Long Island, où il a géré une petite ferme avicole. Il est décédé en 1952.

La grande idée de Dewey : l'instrumentalisme

La philosophie instrumentaliste de Dewey provient de la tradition pragmatiste. Le principe fondamental du pragmatisme est le suivant :

vous découvrez la vérité quand vous envisagez la conséquence pratique d'une idée donnée. Cette vérité se modifie selon la situation ; il n'existe pas de *vérité* abstraite métaphysique éternelle. Dewey croit que la philosophie est un outil pratique pour résoudre les problèmes sociaux.

L'instrumentalisme de Dewey affirme que les idées sont des instruments de l'esprit que l'on utilise pour réaliser des objectifs qui pourront nous aider à faire face à une situation donnée. Nous devrions nous débarrasser de la métaphysique ; la philosophie ne devrait pas se préoccuper de la métaphysique (Dieu, les principes universels, les atomes, etc.), car les principes qu'elle sous-tend n'ont de *réalité* et d'importance que dans les luttes des êtres humains et dans les problèmes de la vie sociale. Il faut considérer la vérité d'une chose comme une hypothèse et la tester dans une situation donnée pour déterminer l'utilité et le mérite de la thèse. De ce point de vue, le seul type de connaissance raisonnablement atteignable s'applique à la résolution de problèmes.

Par exemple, *nous* ne pouvons savoir si Bessie et ses amies possèdent des âmes immortelles ; donc, nous devons nous préoccuper des problèmes de la vie des vaches, à savoir si Bessie mange trop d'herbe.

La réalité étant toujours changeante, la philosophie devrait explorer des problèmes économiques et sociaux bien précis et s'y adapter. Tout comme on utilise la cognition humaine comme instrument pour traiter une situation ou un problème donné, on devrait se servir de la philosophie comme d'un instrument de changement social et politique.

Dewey soutient que nous devrions tester nos notions de moralité puis, en nous fondant sur les conséquences, soit les utiliser, soit s'en départir. Las des idées considérées comme étant de nature fixe ou éternelle, Dewey suggère une approche expérimentale à la moralité. Tout comme la vérité, les préceptes moraux sont faillibles et doivent être mis à l'épreuve dans différentes situations.

Dewey a appliqué sa philosophie à presque toutes les disciplines imaginables. Son influence sur l'éducation a été prépondérante. Ses idées, qui voulaient que l'apprentissage et la découverte de la vérité se fondent sur les tests et l'expérience plutôt que sur des notions abstraites et inapplicables, ont eu un impact durable sur l'éducation. Dewey a pourfendu l'idée que l'unique but de l'éducation était de préparer les étudiants pour la vie civile au moyen d'un programme dogmatique basé sur la mémorisation. Il croyait plutôt que l'éducation devait complètement intégrer et encourager la participation des étudiants, puisque ces derniers faisaient déjà partie de la vie civile.

Il a proposé de mettre l'accent sur la création et la culture d'« habiletés démocratiques », comme la coopération et la participation de jeunes étudiants à la vie de leur communauté.

Comme les problèmes sociaux changent continuellement, Dewey a soutenu que la démocratie, grâce à sa souplesse et à son adaptabilité, faisait partie des principales valeurs éthiques. Donc, la démocratie est la meilleure forme de gouvernement. Bien, voici ce que j'appelle une pensée pragmatique.

Toute personne sérieuse sait qu'une grande partie de l'effort requis par la discipline morale consiste à posséder le courage nécessaire pour reconnaître les conséquences désagréables de nos actions passées et présentes.

L'éducation est un processus social ; l'éducation, c'est la croissance ; l'éducation n'est pas la préparation pour la vie, mais la vie elle-même.

Il y a plus qu'un lien verbal entre les mots commun, communauté et communication. Essayez donc de communiquer une expérience à quelqu'un d'autre en détail et avec précision, surtout si elle est légèrement compliquée, et vous découvrirez que votre attitude vis-à-vis de cette expérience change.

Sur le plan intellectuel, les émotions religieuses ne sont pas créatives, mais prudentes et réservées. Elles s'attachent facilement à la vision actuelle du monde et la consacrent.

La chance, qu'elle soit bonne ou mauvaise, sera toujours de notre côté. Ceoendant, elle possède une façon de favoriser l'intelligent et de tourner le dos à l'idiot.

Nous, les Américains, nous avons l'habitude d'ajouter un autre étage ou une autre aile lorsque nous trouvons que les bases de notre structure d'éducation sont insuffisantes. Pour nous, il est plus facile d'ajouter un autre champ d'apprentissage ou une autre classe ou une autre école que d'étudier les conditions existantes afin de répondre aux besoins.

Nous ne pouvons rechercher ou atteindre la santé, la richesse, l'apprentissage, la justice ou la beauté en général. L'action est toujours ciblée, concrète, individualisée, unique.

L'éducation est la vie même.

La confiance, c'est la franchise et le courage d'aborder les faits de la vie réelle.

Toute personne qui a commencé à réfléchir menace une partie du monde.

L'atteinte d'un but est le point de départ pour en atteindre un autre.

Le conflit est la mouche du coche de la pensée. Il stimule l'observation et la mémoire. Il est l'instigateur de l'invention. Il nous secoue de la passivité, et nous pousse à noter et inventer.

En comprenant les caractéristiques des châteaux en Espagne que se construit un homme, vous pouvez habituellement deviner ses désirs latents frustrés.

Tout grand progrès scientifique est né d'une nouvelle audace de l'imagination.

L'échec est instructif. L'homme intelligent apprend aussi bien de ses succès que de ses échecs. L'ignorance authentique est profitable parce qu'il est probable qu'elle soit accompagnée d'humilité, de curiosité et d'un esprit ouvert, tandis que l'habileté à répéter les slogans, les phrases toutes faites, les propositions familières, donne la vanité de la connaissance et enduit l'esprit d'un vernis à l'épreuve des nouvelles idées.

Tout comme la fleur qui semble magnifique, qui est colorée mais qui n'a pas de parfum, ainsi sont les paroles stériles de l'homme qui les prononce mais qui ne les applique pas.

Le crédit d'aucun homme n'est aussi bon que son argent.

On a plusieurs mauvais actes sur la conscience et quelques bonnes intentions dans le cœur.

Le soi n'est pas quelque chose de déjà fait, mais quelque chose en continuelle formation à travers le choix des actions.

Le temps et la mémoire sont de véritables artistes ; ils corrigent la réalité et la ramènent plus près du désir du cœur.

Découvrir ce qu'il nous convient de faire, et garantir une occasion de le faire, voilà la clef du bonheur.

Pour moi, la foi signifie de ne pas m'inquiéter.

Une démocratie est plus qu'une forme de gouvernement ; elle est d'abord un mode de vie associé d'expériences communes communiquées.

La méthode démocratique consiste à faire la lumière sur les conflits, où leurs particularités peuvent être vues et évaluées, où elles peuvent être discutées et jugées.

Ludwig Wittgenstein

(1889-1951)

- Il a été un influent philosophe analytique.
- Il voyait le langage comme un jeu.
- Il croyait que les problèmes philosophiques résultaient d'un usage impropre du langage.

Ludwig Wittgenstein a révolutionné le monde philosophique du vingtième siècle.

Né à Vienne, Wittgenstein était l'un des huit enfants d'une famille très riche et très en vue. Bien que ses ancêtres étaient juifs, sa famille s'était convertie au catholicisme romain.

Avant de s'intéresser à la philosophie, Wittgenstein a étudié les mathématiques avec l'intention de devenir ingénieur en aéronautique.

Il a d'abord étudié à l'université de Berlin, puis à l'université de Manchester, en Angleterre. C'est dans cette dernière qu'il s'est grandement intéressé aux mathématiques fondamentales plutôt qu'au génie. Cet intérêt l'a mené à l'université de Cambridge où il a rencontré l'un des pionniers de la philosophie analytique, Bertrand Russell.

Lors du déclenchement de la Première Guerre mondiale, Wittgenstein a déménagé en Autriche et a participé à l'effort de guerre. Pendant qu'il combattait sur un front italien relativement calme, il a commencé sa thèse de doctorat, qui est devenue l'une des œuvres philosophiques les plus influentes du dernier siècle.

Cependant, sa réussite et sa célébrité n'ont pas fait de lui le plus heureux des hommes. Tout au long de sa vie, il se sentait en conflit par rapport à son homosexualité, et il a souvent refoulé cet aspect de sa personnalité. Le tiraillement qui l'assaillait l'a conduit à une grave dépression. À plusieurs occasions, il a été sur le point de se suicider.

Après la guerre, Wittgenstein a décidé de devenir enseignant. Il a distribué toute la fortune que sa famille lui avait laissée. En 1925, il a quitté l'enseignement, et s'est occupé à de petits boulots. En 1929, il est retourné à Cambridge comme professeur, où son style d'enseignement profondément charismatique et singulier lui a attiré plusieurs disciples fascinés. Jusqu'à son décès en 1951, il a enseigné et rédigé des textes philosophiques.

Sa contribution à la philosophie a été influencée par son mentor Bertrand Russell, duquel il partageait les fondements théoriques. La tâche du philosophe analytique consistait à créer un type de langage logique « idéal » qui, une fois complété, servirait à refléter la *réalité* du monde. Étant donné que les philosophes analytiques croyaient qu'on pouvait comprendre le monde au moyen des mathématiques, Russell a tenté de représenter les lois de l'arithmétique dans un langage logique. Fondamentalement, les philosophes analytiques pensaient qu'il existait une « réalité » du monde, et que la philosophie devait créer une nouvelle science de la logique qui y correspondrait directement.

La première grande idée de Wittgenstein : la réalité comme une photographie

Wittgenstein s'est concentré sur la relation entre notre esprit, notre langage et la réalité. D'après sa première idée philosophique, il existerait une correspondance directe et logique entre les objets de la réalité, les pensées dans le cerveau humain et le langage.

Par exemple, si j'affirmais que Bessie la vache est une idiote, l'insulte devrait faire directement référence à un objet extérieur, sinon elle n'aurait aucune signification. Ainsi, pour connaître une vache et être capable d'en parler, il faut pouvoir s'en faire une image. Une affirmation ou une proposition dérive sa signification de sa relation nécessaire et logique à la *réalité*. De plus, chaque proposition, comme l'exemple que j'ai donné, forme une image dans le cerveau. Le langage et l'esprit créent une sorte d'image de la réalité qui correspond au monde. Tous les faits de l'Univers sont des faits parce que nous pouvons en parler et nous en faire une image. En d'autres mots, les faits correspondent à un mot dans le langage qui, en retour, correspond à un certain type de représentation mentale.

Le langage et la pensée n'ont de signification que dans leur correspondance directe et logique à la réalité. Cette affirmation signifie qu'il nous est impossible de discuter ou d'examiner les entités métaphysiques sur le plan philosophique, car le seul outil dont nous disposons est notre langage. Alors, étant donné qu'un langage tire sa signification de la réalité à laquelle il correspond, il doit s'accorder obligatoirement et directement aux *faits réels du monde*. Si ce n'est pas le cas, il ne constitue pas un langage logique et, par conséquent, il n'a pas de sens.

Sans ce langage représentatif parfait, la métaphysique et l'examen philosophique de la justice ou de la morale sont impossibles. Ce sont des concepts qui ne peuvent être **mis en image** et qui, par conséquent, ne correspondent pas à des **faits réels**. Donc, même si les concepts de justice et de moralité existent, il devient impossible d'en découvrir la véritable nature.

La seconde grande idée de Wittgenstein : le langage comme un jeu

Il est intéressant de noter que Wittgenstein, dans ses dernières recherches philosophiques, a été amené à rejeter ses idées précédentes. Sa dernière grande prétention affirmait plutôt que les mots du langage ordinaire n'ont parfois qu'une « forte ressemblance » les uns aux autres, et que le sens des mots est lié à la nature interdépendante du langage. De la même façon qu'un mouvement sur l'échiquier n'a de signification que dans la mesure où il se rattache à tous les mouvements précédents (il ne possède aucune signification en lui-même), c'est à partir du « jeu du langage » que certains mots tirent une signification invariable.

Prenons l'exemple d'une blague. La signification d'une blague dépend de tous les « mouvements » qui peuvent avoir été faits, ou qui l'ont été. Il nous faut connaître ce qui aurait pu être dit, ou ce qui est habituellement dit, ou encore une variété d'autres associations langagières, si nous voulons que la blague ait du sens. Cette connaissance nécessaire de ce qui peut être dit ou ne pas l'être donne souvent leur sens aux affirmations et aux mots.

Fondamentalement, Wittgenstein a commencé à percevoir le langage comme ne correspondant pas à une quelconque réalité, mais plutôt à le considérer comme un ensemble de règles adoptées par les humains, comme les règles d'un jeu. D'après sa dernière position, même une discipline comme l'arithmétique n'a pas de correspondance directe avec la réalité. Ce n'est, pour la société, qu'une façon de communiquer.

Par exemple, l'équation $2 + 2 = 4$ n'est qu'une sorte de jeu de langage que nous avons décidé d'adopter aux fins de la vie humaine ; cette équation n'a rien à voir avec une **réalité**, quelle qu'elle soit. Avec cette nouvelle perspective, la première tentative de Wittgenstein d'expliquer le monde par une nouvelle science de la logique est tout à fait impossible.

En fin de compte, Wittgenstein croyait qu'on ne peut comprendre la vérité d'une affirmation dans sa relation à une réalité externe ou « indépendante du langage », car la réalité ne se présente que dans les formes linguistiques que nous avons nous-mêmes construites.

Wittgenstein a eu une influence extraordinaire parce qu'il n'a légué qu'une seule tâche légitime à cette science de la philosophie : celle de porter une attention à l'usage du langage pour qu'on puisse éviter les problèmes philosophiques causés par un mauvais usage des mots. Donc, je suppose qu'il nous faut retourner à la case de départ en ce qui concerne plusieurs des problèmes philosophiques. *Cependant, ça n'a même aucun sens d'en parler !*

Ce dont on ne peut parler, il faut le taire.

J'ignore la raison de notre présence ici, mais je suis passablement certain que ce n'est pas pour nous amuser.

La philosophie est une bataille contre l'ensorcellement de l'esprit par le langage.

Le monde d'un homme heureux est un autre monde que celui du malheureux.

Il n'existe pas de confession religieuse où l'usage impropre des expressions métaphysiques a été responsable d'autant de péchés qu'en mathématiques.

Le génie, c'est ce qui nous fait oublier le talent du maître.

Nous pourrions présenter spatialement un fait atomique qui contredit les lois de la physique, mais aucun qui contredit les lois de la géométrie.

Il ne peut jamais y avoir de surprises en logique.

L'énigme n'existe pas. Si une question ne peut absolument pas se poser, elle ne peut pas davantage trouver sa réponse.

Tout ce qui peut être exprimé peut être exprimé clairement.

Toutes les formes de mathématiques sont une tautologie.

Le processus du calcul ne provoque qu'une intuition. Le calcul n'est pas une expérience.

Une preuve mathématique doit être claire.

Les limites de mon langage signifient les limites de mon propre monde.

Avec mon sac à dos rempli de philosophie, je n'escaladerai que lentement la montagne des mathématiques.

Personne ne peut former une idée à ma place, de même que personne ne peut mettre mon chapeau sur la tête.

Partager avec quelqu'un une idée qu'il ne comprend pas est inutile, même si vous ajoutez qu'il sera incapable de la comprendre.

Le véritable mérite de Copernic ne fut pas la découverte d'une théorie vraie, mais celle d'une nouvelle et fructueuse manière de voir.

S'il est vrai que les mots ont des sens, pourquoi ne nous en débarrassons-nous pas pour ne garder que les sens ?

Les livres de science populaires ne sont pas le résultat du dur labeur de nos savants ; ils ont plutôt été écrits alors que les savants se reposaient sur leurs lauriers.

C'est une question d'envie, bien sûr. Et tous ceux qui en font l'expérience doivent se dire : « C'est une erreur ! C'est une erreur ! »

La mort n'est pas un événement de la vie. La mort ne peut être vécue.

Même quand on a résolu tous les problèmes scientifiques possibles, on n'a absolument pas touché aux problèmes de la vie.

CHAPITRE VINGT-DEUX

Jean-Paul Sartre

(1905-1980)

> - Les humains sont libres et responsables.
> - Il n'existe pas de nature humaine abstraite.
> - Le manque de lucidité conduit à agir de « mauvaise foi ».

Lorsque nous pensons à l'existentialisme du vingtième siècle, nous songeons inévitablement à Sartre. Après deux guerres mondiales, la civilisation occidentale avait donné la preuve d'un manque flagrant de moralité ; dans ce contexte, Sartre a insisté sur l'importance de la liberté humaine et de la responsabilité morale. Sa philosophie s'est exprimée dans des pièces de théâtre et des romans primés, tout comme dans des textes philosophiques.

Jean-Paul Sartre est né à Paris, en France. Son père était officier de marine. Sartre était un jeune homme sérieux, toujours plongé dans le dernier livre qu'il avait trouvé. Il a fini par découvrir la philosophie. Il a voyagé et continué ses études philosophiques en Europe et en Égypte. Lors du déclenchement de la Seconde Guerre mondiale en 1939, Sartre a servi dans l'armée française. Un an plus tard, il était capturé par les Allemands, et a passé neuf mois dans un camp de détention pour prisonniers de guerre, en Allemagne. En 1941, il s'est évadé et s'est joint à la Résistance française. De 1941 à 1944, il a été reconnu pour sa contribution exceptionnelle à ce mouvement, écrivant sur une base régulière pour un journal clandestin.

Après la guerre, Sartre a enseigné dans des universités et a écrit des textes littéraires et philosophiques célèbres et influents. Il a continué à parler en faveur de la liberté un peu partout dans le monde, condamnant les actes d'agression dont il était témoin. Au moment de son décès en 1980, il était l'une des sommités les plus respectées de la France d'après-guerre.

La grande idée de Sartre : l'existentialisme

Comme Kierkegaard, Sartre croyait que la subjectivité constitue le point de départ de la philosophie, et qu'il n'existe pas de « vérité objective » atteignable par l'humanité. Cependant, Sartre diffère de

Kierkegaard en ce sens qu'il est athée et qu'il affirme qu'il n'y a aucune raison d'adopter le principe de « l'acte de foi » de Kierkegaard. On ne peut trouver le sens que dans l'essence de ce qui constitue le libre arbitre de l'individu. Ainsi, le sens de la vie commence et se termine selon la raison d'être de l'individu, dont la nature essentielle est totalement définie par des choix librement consentis. Selon l'approche sartrienne de l'existentialisme, la morale et la signification même de la nature humaine sont les produits (non la force productrice) de la capacité de l'être humain de « choisir librement ».

Cette idée s'oppose à la revendication d'une « nature humaine » objective et absolue. D'après Hobbes, la nature humaine se caractérisait par une lutte constante pour le pouvoir (comme le pensait aussi Nietzsche), et Hegel croyait qu'un esprit objectif de liberté s'incarne historiquement dans la conscience subjective. Sartre et les existentialistes affirment que « ce en quoi consiste le fait d'être humain » est entièrement déterminé par notre capacité, en tant qu'agents du libre arbitre, de choisir librement. Le plus important pour Sartre, c'est que ce sont nos actions et nos choix qui apportent au monde des valeurs morales. L'Univers lui-même n'a ni valeur ni signification (désolé, Platon).

Donc, si Dieu n'existe pas et si la nature humaine n'existe pas en dehors de notre libre arbitre, comment l'existentialiste (toujours engagé à fournir un guide de vie pour l'individu) détermine-t-il ce que nous devrions faire ou ne pas faire ? En nous servant d'un exemple fourni par Sartre lui-même, nous pouvons observer de quelle façon le sartrien distingue le moral de l'immoral.

Voici un exemple : Jean-Pierre doit prendre une décision, soit il reste à la maison et il aide sa mère, soit il va combattre dans la Résistance avec Sartre. Il demande à Sartre : « Quelle est la bonne chose à faire ? » Sartre lui sert une de ses réponses célèbres : « Vous n'avez qu'à choisir, mon cher garçon. En choisissant, vous ferez la bonne chose. » Qu'est-ce que ça signifie ? Ça veut dire qu'il n'existe pas de « bien » ou de « mal » objectif, mais seulement ce que nous choisissons.

Cependant, Sartre n'est pas un nihiliste et il ne veut pas qualifier un acte de moral tant et aussi longtemps que l'acte n'aura pas été endossé. Donc, que dit-il ? Il affirme que, la capacité de choisir constituant l'essence de l'humanité, c'est par chacun de mes choix que je détermine essentiellement ce qu'est un individu et ce que nous devrions être. Sartre affirme que lorsque l'individu choisit pour lui-même, il choisit en fin de compte pour « l'ensemble de l'humanité ».

Or, à l'intérieur de ce cadre théorique, il n'existe toujours pas de critères objectifs, comme la Loi divine ou une forme de morale kantienne impérative, pour déterminer ce qui est « bien » et ce qui est « mal ». Selon Sartre, il est possible de faire un mauvais choix et nous faisons de mauvais choix quand nous agissons de « mauvaise foi ».

On fait un choix de mauvaise foi lorsqu'on ne s'attarde purement qu'aux faits pour déterminer et expliquer comment on devrait agir. Par exemple, disons que Jennifer est catholique, mais qu'elle voudrait se faire avorter. Elle se dit qu'elle le ferait mais, comme elle est catholique, cela lui est interdit. D'après Sartre, cette façon de raisonner est illusoire et constitue finalement une erreur. Si l'Univers n'a pas de valeur, les faits de cet Univers n'ont pas de valeur non plus. Même si c'est un fait que Jennifer soit catholique, elle doit accepter l'entière responsabilité de chacun de ses choix.

Il ne s'agit pas ici de la morale de ce qu'elle choisit (car Sartre ne fait aucune distinction), mais plutôt de l'authenticité de son choix. Quoi qu'elle choisisse de faire, elle doit comprendre et accepter la responsabilité de ce choix, et ce, même si elle choisit librement de suivre les principes de l'autorité de l'Église catholique.

Le fait qu'elle soit catholique et qu'elle attribue de l'autorité aux enseignements de sa religion est complètement et intégralement déterminé par son adhésion libre ou « par son choix » de donner de l'autorité et de la signification à ces enseignements (mais elle pourrait évidemment choisir autrement).

Sartre a démontré une habileté particulière pour illustrer un type de morale illusoire, ou de paresse, où nous disons que « parce que je suis X, je ne peux faire Y, et je n'en suis pas responsable ». Or, c'est votre responsabilité parce que vous choisissez d'abord d'être X ou vous choisissez de donner au fait d'être X un sens et une autorité.

Pour Sartre, il n'est pas important que Jennifer soit catholique ou non, ou qu'elle avorte ou pas. Sartre veut simplement dire que nous devons reconnaître que nous sommes entièrement responsables de ce que nous acceptons et de ce à quoi nous donnons autorité et signification. Nous devons reconnaître que nous sommes responsables de nos choix et de nos actions. Les faits du monde et d'être nous-mêmes (par exemple, je suis catholique, américain, allemand, mormon ou toute autre chose) n'expliquent rien en eux-mêmes, et ne détiennent que l'autorité que nous choisissons librement et authentiquement de leur accorder. Ce que nous choisissons n'est pas vraiment important, pourvu que notre choix soit sincère et authentique.

Sartre propose l'une des philosophies morales les plus radicales de toute l'Histoire de la discipline en affirmant qu'il n'y a ni bien ni mal, mais seulement ce que nous choisissons. Il est d'une importance capitale pour la philosophie et la littérature du vingtième siècle, et l'accent qu'il met sur la liberté absolue et la responsabilité de l'individu continue à inspirer de nombreux penseurs modernes. D'après lui, nous devons être entièrement responsables de nos choix et de nos vies morales. Eh bien, on dirait que je ne pourrai tout simplement plus trouver d'excuses.

Le plus de sable s'est écoulé du sablier de la vie, le plus clair nous devrions être capables d'y voir au travers.

L'homme est condamné à être libre. Condamné parce qu'il ne s'est pas créé lui-même, parce qu'une fois jeté dans le monde il est responsable de ce qu'il fait.

Tout a été résolu, sauf comment vivre.

En amour, un plus un égale un.

L'existence précède et commande l'essence.

L'enfer, c'est les autres.

La boue est l'agonie de l'eau.

Ce que j'aime de ma folie, c'est qu'elle m'a sauvé dès le début des flatteries de l'« élite ».

Quand les riches font la guerre, c'est les pauvres qui meurent.

Un écrivain doit refuser de se transformer en institution.

L'existentialiste déclare volontiers que l'homme est angoisse.

Il y a deux espèces d'existentialistes : les premiers, qui sont chrétiens, et d'autre part les existentialistes athées.

Devrais-je trahir la vérité pour servir le prolétariat ou le prolétariat pour servir la vérité ?

À trois heures il est toujours trop tôt ou trop tard pour faire quoi que ce soit.

J'ai toujours été d'accord avec les anarchistes ; ils sont les seuls à avoir imaginé l'homme complet, constitué par l'action sociale, et dont la principale caractéristique était la liberté.

L'action est un heureux tourment.

La liberté, c'est ce que vous faites avec ce qu'on vous a fait.

Une bataille perdue est une bataille qu'on croit avoir perdue.

La vie n'a plus de signification dès que vous perdez l'illusion d'être éternel.

Seul celui qui ne rame pas a le temps de faire des vagues.

Aucun sexe, sans une certaine fécondation par les caractéristiques complémentaires de l'autre, n'est capable de la plus grande des réussites humaines.

CHAPITRE VINGT-TROIS

Ayn Rand

(1905-1982)

- Elle a été responsable de la philosophie de l'objectivisme.
- Elle était une partisane influente du capitalisme.
- Elle se voulait une solide sympathisante de l'individualisme.

Ayn Rand est née sous le nom d'Alissa Rosenbaum à Saint-Pétersbourg, en Russie. Son père était propriétaire d'une pharmacie à l'étage sous leur appartement, qui était grand et confortable. Même pendant sa tendre enfance, elle rêvait de déménager en Occident et de devenir une grande penseuse et écrivaine. En 1917, alors que Rand était en train de rêvasser sur son balcon, les premiers coups de la révolution russe ont retenti. Peu longtemps après, la boutique de son père a été nationalisée par des communistes, laissant la famille dans une profonde pauvreté. La vie soviétique est devenue de plus en plus sombre pour Rand, et les images de l'Occident sont devenues de plus en plus brillantes. En 1926, Rand a quitté sa famille et sa terre natale, pour ne jamais y revenir. Elle est arrivée à New York avec seulement 50 $ dans son sac à main. Pendant des décennies, elle a accepté tous les petits boulots qu'elle pouvait trouver. Pourtant, elle n'a pas abandonné son rêve de devenir écrivaine et grande penseuse. Elle était déterminée à réussir, ce qui la faisait ressembler aux héros de ses livres : braves, individualistes et inébranlables.

En 1943, avec la publication de son roman *The Fountainhead* (*La source vive*), Rand a révélé sa philosophie de l'objectivisme et continué à raffiner sa pensée dans un certain nombre de publications, tant fictives que réelles. Cette philosophe célèbre, riche et respectée est décédée en 1982.

La grande idée de Rand : l'objectivisme

La sainte Trinité de la philosophie de l'objectivisme d'Ayn Rand se compose de l'individualisme, de la raison et du capitalisme. D'après Rand, le monde naturel existe ; son existence ne dépend pas de notre perception. Cette façon de voir qualifie la philosophe de réaliste métaphysique. De plus, Rand dénie tout supernaturalisme, déterminisme et fatalisme.

D'après Rand, la fonction la plus importante de l'homme est sa capacité de raison. Cette dernière est le don fondamental de l'homme et, grâce à elle, l'homme est en mesure de découvrir les lois et les complexités de la nature. La raison est le processus de conceptualisation ; c'est un outil utilisé pour comprendre et unifier notre monde de l'expérience.

Rand a soutenu ce qu'elle appelait la « vertu de l'égoïsme », ce qui ne signifie pas que nous pouvons faire ce que nous voulons, mais que l'objectif de la vie humaine est l'atteinte du bonheur. Pour atteindre le bonheur véritable (le plus grand bien d'après Rand), nous devons exercer la raison, et cette dernière devrait guider nos décisions et nos actions. Lorsque nous agissons en accord avec notre raison dans le but d'atteindre le bonheur, nous acquérons de l'estime de nous-mêmes.

Le capitalisme, un système économique apprécié de Rand, est parfaitement compatible avec la philosophie de cette dernière. L'hypothèse implicite de l'objectivisme, c'est qu'en agissant en accord avec nos intérêts personnels nous servons les intérêts des autres. Nous devrions tous agir avec la raison, agir au nom de notre propre bonheur, agir en nous estimant nous-mêmes. Selon Rand,

nous n'aurions alors pas besoin d'un code moral basé sur l'humilité, l'altruisme ou les principes absolus.

Cependant, une action est-elle juste si elle augmente le bonheur
d'un individu au détriment d'un autre ? Rand a soutenu qu'une
action qui ne respecte pas les droits des autres n'est pas raisonnable
(car, en fait, la majorité d'entre nous ne veulent pas blesser les
autres) et que seules les actions raisonnables mènent au véritable
bonheur et à l'estime de soi.

Ayn Rand a fourni aux valeurs optimistes et aux prétentions du
capitalisme une cohérence philosophique qu'on admire encore de
nos jours. Que Dieu bénisse le capitalisme, l'Amérique, et Ayn Rand.
Oh, j'ai presque oublié, que Dieu bénisse Tiny Tim.

Bessie rencontre Ayn

Si je décide de voler Bessie au fermier Joe, Rand dirait que ce vol est un acte mauvais parce qu'il ne me conduit pas au bonheur.

Rand a prétendu que si tout individu agissait de façon à garantir son propre bonheur, en pensant d'abord à lui-même, la raison lui dicterait de respecter les droits fonda-mentaux des autres. Cependant, il n'existe pas d'obligations morales abstraites et absolues envers vos compagnons humains. Fondamentalement, il vous suffit de ne pas accor-der de soutien injustifié à quiconque, au nom d'un sentiment d'obligation de type chrétien, et de ne pas vous attendre à ce que qui que ce soit se comporte différemment envers vous. Agissez pour vous-même et servez-vous de votre capacité de raisonner. Si tout le monde se comportait ainsi, affirme Rand, les vies individuelles seraient beaucoup plus remplies et épanouies.

L'homme qui laisse un leader lui prescrire son chemin est une épave remorquée à la casse.

Il est plus facile de gravir l'échelle du succès en marchant sur les échelons de l'opportunité.

La création précède la distribution – sinon il n'y aura rien à distribuer. La civilisation est le progrès d'une société vers la vie privée. L'existence du sauvage est publique et réglée par les lois de sa tribu. La civilisation est le processus de libération par l'homme de l'homme.

Les classes supérieures sont l'héritage d'une nation ; la classe moyenne en est l'avenir.

Pourquoi nous enseigne-t-on toujours qu'il est facile et mal de faire ce que nous voulons, et qu'il nous faut de la discipline pour nous maîtriser ? C'est la chose la plus difficile du monde – faire ce que nous voulons. Et cela peut nécessiter la forme la plus extraordinaire de courage. J'insiste, nous devons faire ce que nous voulons vraiment.

À travers les siècles, des hommes, armés uniquement de leur propre vision, ont été les premiers à s'engager sur de nouveaux chemins.

La compensation particulière pour l'homme, c'est qu'alors que les animaux survivent en s'ajustant à leur milieu, il survit en ajustant son milieu à lui-même.

Chaque horreur importante de l'Histoire a été commise au nom d'un motif altruiste. Un acte d'égoïsme n'a-t-il jamais égalé le carnage perpétré par les disciples de l'altruisme ?

La culpabilité est une corde qui s'use.

Le bonheur est cet état de conscience qui résulte de l'accomplissement de nos valeurs.

Le jour de l'Action de grâce est une fête typiquement américaine. Le repas copieux symbolise que la consommation abondante est le résultat et la récompense de la production.

Je n'ai besoin d'aucune garantie pour être, et d'aucune parole de sanction sur mon être. Je suis à la fois la garantie et la sanction.

Le mal du monde n'est rendu possible que par rien d'autre que la sanction que vous lui donnez.

L'argument d'intimidation est l'aveu d'une impuissance intellectuelle.

La propagation du mal est le symptôme d'un vide. Lorsque le mal triomphe, ce n'est que par défaut : à cause de l'échec moral de ceux qui nient le fait qu'il ne peut y avoir de compromis sur les principes de base.

Il y a un degré de lâcheté plus bas que celui du conformisme : le non-conformisme à la mode.

Le droit de vote est la **conséquence**, non la cause principale, d'un système social libre – et sa valeur dépend de la structure constitutionnelle qui l'implante et qui délimite strictement le pouvoir des votants ; la majorité absolue est un exemple du principe de tyrannie.

Peu importe leur avenir, à l'aube de leur vie, les hommes recherchent une vision noble de la nature de l'homme et du potentiel de la vie.

Je peux tout accepter, sauf ce qui semble le plus facile pour la plupart des gens : le mi-chemin, le presque, l'à-peu-près, l'entre-deux.

Aimer, c'est valoriser. Seul un homme égoïste rationnel, un homme qui s'estime lui-même, est capable d'amour – parce que c'est le seul homme capable d'avoir des valeurs fermes, constantes, d'y être fidèle et de ne pas faire preuve de complaisance. L'homme qui ne se valorise pas lui-même ne peut valoriser rien d'autre ou personne d'autre.

Ma philosophie, par essence, est le concept de l'homme en tant qu'être héroïque, avec son propre bonheur comme objectif moral de sa vie, avec l'accomplissement productif comme sa plus noble activité, et la raison son seul absolu.

On a enseigné aux hommes qu'être d'accord avec les autres est une vertu. Or, l'être créateur est celui qui n'est pas d'accord. On a enseigné aux hommes qu'il est vertueux de nager en suivant le courant. Or, le créateur est l'homme qui va à contre-courant. On a enseigné aux hommes qu'il est vertueux de se rassembler. Or, le créateur est l'homme qui se tient seul.

L'intégrité, c'est reconnaître que vous ne pouvez tromper votre conscience, de même que l'honnêteté, c'est de reconnaître que vous ne pouvez tromper l'existence.

L'amour est notre réponse à nos valeurs supérieures. L'amour consiste à s'aimer. L'amour le plus noble naît de l'admiration des valeurs de l'autre.

Toute personne qui combat pour l'avenir y vit déjà.

L'honneur est l'estime de soi qui s'incarne dans l'action.

CHAPITRE VINGT-QUATRE

W.V.O. Quine

(1908-2000)

- Il a rejeté des distinctions philosophiques vieilles d'un siècle.
- Il est un des éminents philosophes du vingtième siècle.
- Il a décrit le langage comme étant un « tissu de croyances ».

Depuis le début de cet ouvrage, nous avons pu observer deux courants majeurs de pensée : d'abord les rationalistes, qui croient que la raison est distincte de l'expérience sensorielle et qu'elle est la première source de la connaissance humaine ; puis les empiristes, qui soutiennent que la connaissance humaine est acquise par notre expérience sensorielle et qui affirment que la raison ne sert qu'à établir des liens entre les informations provenant de la perception des sens.

Cependant, les deux sont d'accord sur un point : il est possible de poser certains jugements, comme ceux liés aux faits mathématiques et logiques, sans se référer à aucun fait de l'expérience. Par exemple, la loi de non-contradiction d'Aristote établit que P et non-P ne peuvent être à la fois P, car ce qui est P est P, et quelque chose ne peut être P et ne pas être P en même temps. Selon cette application, chaque philosophe que nous avons étudié admettrait qu'il s'agit d'un jugement analytique, ce qui signifie que la vérité de l'affirmation est logiquement contenue dans la proposition elle-même. Les jugements analytiques sont distincts des jugements synthétiques, qui exigent une synthèse des faits de l'expérience. Même Hobbes, Locke et Hume admettraient que les jugements des faits de l'expérience sont distincts des jugements analytiques, dont la propre construction logique contient la vérité qu'ils sous-tendent. Or, le monde de la philosophie a encore une fois été secoué par Quine, qui a cherché à diluer la distinction de ces deux types de jugements.

Quine est né à Akron, en Ohio. Dès ses études secondaires, il a fait preuve d'une grande aptitude pour le langage et les mathématiques. Athée convaincu, même alors qu'il était très jeune, la science et la philosophie ont alimenté sa quête de compréhension de l'Univers. Comme plusieurs brillants étudiants de son époque, Quine a étudié à Harvard, où il a été influencé par les travaux de

Russell et de Whitehead. Après des études postdoctorales en Europe, il est revenu aux États-Unis en 1936. Pendant les années qui ont suivi, il a rédigé des textes philosophiques jusqu'à ce qu'il se joigne à la marine pendant la Seconde Guerre mondiale. En 1948, il est devenu professeur à plein temps à Harvard. Il est décédé en 2000.

La grande idée de Quine : les jugements synthétiques par rapport aux jugements analytiques

Tout comme Kant a été en partie célèbre en raison de la distinction entre ces deux types de jugement, Quine est devenu célèbre pour en avoir estompé les contours.

Examinons les phrases suivantes :

1. Tous les hommes non mariés ne sont pas mariés.
2. Tous les célibataires ne sont pas mariés.
3. Le célibataire est assis sur Bessie la vache.

La troisième phrase est une phrase synthétique. Sa vérité dépend des faits du monde (soit que quelqu'un soit vraiment assis sur Bessie). Le problème avec les deux premières phrases, normalement considérées comme des jugements analytiques identiques, c'est qu'elles ne le sont pas. Pour Quine, la première phrase est une vérité logique. Sa vérité est tout à fait évidente. C'est comme si nous disions que tous les P sont des P. Toutefois, la deuxième phrase exige que nous connaissions la signification et que nous ayons une compréhension de *ce que c'est que d'être un célibataire*. Nous n'avons pas besoin de connaître la définition de non marié pour comprendre que tous les hommes non mariés sont non mariés.

Donc, où s'en va-t-on ? Pour avoir une conception du mot « célibataire » comme étant identique à l'expression « homme non marié », il est nécessaire de donner une signification fixe et universelle au mot « célibataire ». Pour comprendre que la deuxième phrase est analytique, il faut d'après Quine « un tissu de croyances » et une adhésion de base à des « objets métaphysiques de la foi ». La conséquence de ceci, c'est que toute science (l'histoire, la géographie, même les mathématiques et la physique) est un tissu de signification fabriqué par l'homme et, en réalité, conditionné par l'expérience humaine. La deuxième phrase est analytique seulement si nous comprenons la signification du mot « célibataire », une signification qui n'est influencée que par des expériences empiriques.

Selon Quine, nous attribuons aux mots des significations universelles fixes qui finissent par créer un « tissu de significations » qui n'ont de valeur que dans le contexte d'une culture donnée. Par

exemple, pendant une certaine période, on considérait que le mot
« terre » et l'expression « le centre de l'Univers » étaient synonymes.
Chaque discipline scientifique et la totalité de la connaissance
humaine s'attachent à des significations universelles fixes qui sont
des créations purement humaines. Par contre, l'expérience peut
modifier ces significations fixes comme elle l'a fait dans le cas de la
révolution copernicienne. Des expériences futures peuvent redéfinir
ce que nous tenons pour « vrai, par définition » et, par conséquent,
analytiquement vrai. En fait, c'est à qui veut jouer ! Aucune affirmation ou définition n'est immunisée contre une révision future.

De plus, étant donné que les lois de la logique sont aussi dis-
tantes que possible de l'expérience (P et non-P), les lois de la
logique elle-même sont susceptibles de *révision*. Si cela est vrai, il
ne peut y avoir de distinction fondamentale entre tout jugement
analytique et un jugement synthétique. Tout exige ce que Quine
appelle un clivage ou un attachement aux « objets de la métaphysique de la foi ».

La recherche de Quine sur la nature du langage a eu un impact
significatif sur la philosophie. Comme Wittgenstein avant lui, Quine
a fourni d'autres preuves de l'importance du langage et de son
impact sur notre interprétation du monde qui nous entoure. Ces
travaux nous indiquent que nous devons adapter les lois de la

logique pour faire face à toute nouvelle donnée que nous fournit la science. Cette adaptation devrait être faite de façon pragmatique, à la suite de la découverte de nouvelles données ou informations. D'après Quine, lorsque de nouvelles données sont disponibles, même le jugement analytique peut être révisé. Fantastique ! Maintenant, nous ne savons plus rien !

La théorie peut être délibérée, comme un chapitre de chimie, ou elle peut être une seconde nature, comme l'est la théorie, d'âge immémorial, des objets physiques durables de moyenne grandeur.

Les variables de la quantification, « quelque chose », « aucune chose », « toute chose », embrassent la totalité de notre ontologie, quelle qu'elle soit ; nous sommes condamnés à une présupposition ontologique particulière si, et seulement si, la présupposition alléguée fait partie des entités sur lesquelles nos variables se situent afin de rendre véridique l'une de nos affirmations.

La méthode scientifique est la voie vers la vérité, mais elle ne fournit même en principe aucune définition unique de la vérité. Toute soi-disant définition pragmatique de la vérité est destinée à l'échec de la même manière.

La physique étudie la nature essentielle du monde, et la biologie décrit un choc localisé. La psychologie, la psychologie humaine, décrit le choc par-dessus le choc.

Les termes généraux et les termes particuliers de l'anglais, l'identité, la quantification et tout l'arsenal des trucs ontologiques, peuvent être mis en corrélation avec des éléments de la langue maternelle, de n'importe laquelle d'une multitude de manières mutuellement incompatibles, mais chacune étant compatible avec toutes les données linguistiques possibles, sans qu'aucune ne soit préférable aux autres, sauf si elle est favorisée par une rationalisation de la langue maternelle qui nous est simple et naturelle.

Les traditions de nos ancêtres sont un tissu de phrases. Entre nos mains, elles se développent et se transforment au moyen de révisions et d'ajouts plus ou moins arbitraires et délibérés, qui nous sont propres, et qui sont plus ou moins provoqués par la stimulation continuelle de nos organes sensoriels. Ce sont des traditions gris pâle, noires par les faits et blanches par les conventions. Cependant, je n'ai découvert aucune raison substantielle pour conclure qu'elles sont tissées de fils noirs ou de fils blancs.

Ce que j'aimais le plus, c'était beaucoup plus les objectifs mathématiques que les objectifs biologiques, car il s'agissait moins d'une question d'opinion. Clarifier, ne pas justifier. S'en tenir à la preuve.

Être, c'est être la valeur d'une variable.

Plusieurs individus élevés dans le même milieu linguistique se ressembleront comme ces arbustes qu'on taille en forme d'éléphant. Autant d'arbustes, autant d'arrangements différents de branches maîtresses et de rameaux aboutissant en gros à la même silhouette éléphantine.

La vie est algide, la vie est ardente. Vivre est le sentiment qu'une minorité d'entre nous arrive à induire à la majorité, car peu d'entre nous arrivent à tirer le meilleur parti de la vie et à s'épanouir.

La stratégie de l'escalade sémantique consiste à porter la discussion sur un terrain où les parties sont davantage en accord tant sur les objets de la discussion (à savoir les mots) que sur les termes principaux qui les concernent. Les mots, ou leurs inscriptions, à la différence des points, des milles, des classes, et du reste, sont des objets tangibles, d'un format très populaire sur le marché public, où les hommes, en dépit des différences que présentent leurs schèmes conceptuels, communiquent au mieux. La stratégie est de s'élever jusqu'à un niveau où les deux schèmes conceptuels fonda-mentalement différents se rejoignent, lieu optimum pour discuter leurs fon-dements disparates. Rien d'étonnant qu'elle rende service en philosophie.

Je suis d'accord... avec l'opinion de l'essayiste qui affirme que le statut de témoin d'expert est le scandale et la disgrâce de la profession médicale. On se sert du soi-disant expert non parce qu'il est expert en médecine, non parce qu'il est un expert en diagnostic ou expert thérapeute, mais parce qu'il est un expert pour prêter serment.

La tâche du philosophe diffère alors de celle des autres théoriciens, dans le détail, mais non pas d'une manière aussi radicale que le supposent ceux qui imaginent que le philosophe jouit d'un point d'observation privilégié situé à l'extérieur du schème conceptuel fondamental de la science et du sens commun sans posséder quelque schème conceptuel, que ce soit le même ou un autre, qui n'échappe pas davantage à l'obligation d'un examen philosophique.

[Il était] absurde de chercher un lien entre des affirmations synthétiques, qui sont basées sur l'expérience, et des affirmations analytiques, qui sont des évidences.

Toute affirmation peut être évidente si nous effectuons des changements assez drastiques dans le système [de nos croyances]. La totalité de nos soi-disant connaissances ou croyances, à partir des problèmes les plus ordinaires de géographie ou d'histoire jusqu'aux lois les plus pointues de la physique atomique ou même des mathématiques pures et de la logique, n'est qu'un tissu fabriqué de la main de l'homme qui ne touche à l'expérience qu'en superficie.

Je ne me sers pas des ordinateurs, même si l'un de mes minces résultats en logique mathématique est devenu un outil de la théorie informatique, le principe Quine-McCluskey. Et il correspond aux terminaux en série ou aux terminaux parallèles, de telle sorte que si vous simplifiez les étapes mathématiques logiques vous avez simplifié votre installation électrique. J'y suis arrivé non parce que je m'intéressais aux ordinateurs, mais parce que je m'en servais comme outil pédagogique, une façon superficielle d'enseigner la logique mathématique.

Tout comme l'introduction des nombres irrationnels… est un mythe commode [qui] simplifie les lois de l'arithmétique… les objets physiques sont des entités postulées qui s'arrondissent et simplifient notre rapport au flux de l'existence… le procédé conceptuel des objets physiques est [égale-

ment] un mythe commode, plus simple que la vérité littérale et contenant pourtant cette vérité littérale comme une partie diffuse.

Notre discours sur les choses extérieures, nos idées mêmes sur les choses, n'est qu'un appareil conceptuel qui nous aide à prévoir et à contrôler le déclenchement de nos récepteurs sensoriels à la lumière du déclenchement précédent de ces mêmes récepteurs. Le déclenchement, le premier et le dernier, c'est tout ce que nous avons pour continuer.

Je suis un objet physique dans un monde physique. Certaines des forces de ce monde physique touchent ma surface. Les rayons de lumière frappent ma rétine ; des molécules bombardent mon tympan et le bout de mes doigts. Je frappe à mon tour, émettant des vagues d'air concentriques. Ces vagues prennent la forme d'un torrent de discours à propos des tables, des gens, des molécules, des rayons de lumière, des rétines, des vagues d'air, des nombres premiers, des classes infinies, de la joie et de la tristesse, du bien et du mal.

La logique chasse la vérité jusqu'à la cime de l'arbre de la grammaire.

La vie bourgeonne, une accélération de la vague pulsion primordiale, dans le ténébreux gaspillage du temps.

Le désir d'avoir raison et le désir d'avoir eu raison sont deux désirs, et plus rapidement nous les séparons, mieux ce sera. Le désir d'avoir raison est la soif de vérité. Et tout compte fait, dans la pratique ou dans la théorie, il n'y a que de bonnes choses à dire sur cette activité. Le désir d'avoir eu raison, d'un autre côté, est la fierté qui survient avant une chute. Il nous empêche de voir que nous avions tort, et ainsi bloque le progrès de notre connaissance.

Pas d'entité sans identité.

À propos de l'auteur

Comme la plupart de ceux qui aspirent au titre de roi des philosophes, Gregory Bergman travaille pour une société de placements bancaires à Wall Street. Il a étudié la philosophie à Hunter College.

Remerciements

Je tiens à remercier les personnes suivantes : mon père qui, chaque jour, démontre un courage à toute épreuve ; Donna Raskin qui, par sa correspondance apaisante et instructive, m'a aidé à mener à bien mon projet ; Brigid Carroll, dont les objectifs clairs et le bon sens sont sans pareils ; Matt Marinovich, pour ses corrections judicieuses ; Jennifer Beal, pour la conception du livre ; le professeur Steven Ross, pour son expertise philosophique et ses bienveillants conseils ; et Tara Hitlin qui, pendant un moment, n'a nullement contribué à ce processus et qui constituait en fait un obstacle à son achèvement, car c'est de sa générosité que tout le bien a surgi.